CHERUB

MISSION 4 :
CHUTE LIBRE

www.cherubcampus.fr
www.casterman.com

Publié en Grande-Bretagne par Hodder Children's Books, sous le titre : *The Killing*

© Robert Muchamore 2005 pour le texte.

ISBN 978-2-203-00362-0
© Casterman 2008 pour l'édition française
Imprimé en Espagne par Edelvives.
Dépôt légal : février 2008 ; D.2008/0053/39
Déposé au ministère de la Justice, Paris (loi n° 49.956 du 16 juillet 1949
sur les publications destinées à la jeunesse).

Robert Muchamore

MISSION 4
CHUTE LIBRE

Traduit de l'anglais
par Antoine Pinchot

casterman

Avant-propos

CHERUB est un département spécial des services de renseignements britanniques composé d'agents âgés de dix à dix-sept ans recrutés dans les orphelinats du pays. Soumis à un entraînement intensif, ils sont chargés de remplir des missions d'espionnage visant à mettre en échec les entreprises criminelles et terroristes qui menacent le Royaume-Uni. Ils vivent au quartier général de CHERUB, une base aussi appelée « campus » dissimulée au cœur de la campagne anglaise.

Ces agents mineurs sont utilisés en dernier recours dans le cadre d'opérations d'infiltration, lorsque les agents adultes se révèlent incapables de tromper la vigilance des criminels. Les membres de CHERUB, en raison de leur âge, demeurent insoupçonnables tant qu'ils n'ont pas été pris en flagrant délit d'espionnage.

Près de trois cents agents vivent au campus. Le rapport de mission suivant décrit en particulier les activités de **JAMES ADAMS**, né à Londres en 1991, trois opérations à son actif, un agent respecté et admiré de ses camarades malgré ses nombreux démêlés avec la direction de CHERUB ; sa petite sœur **LAUREN ADAMS**, née en 1994 ; **KERRY CHANG**, née à Hong-Kong en 1992, petite amie de James, rompue aux techniques de combat à mains nues ; **DAVE MOSS**, né en 1988 à Eastry, dans le Kent, légende vivante de l'organisation ; **SHAKEEL DAJÄNI**, né en Égypte en 1992 ; **KYLE BLUEMAN**, né en 1989 au Royaume-Uni, meilleur ami de James, dont le comportement disciplinaire est fréquemment mis en cause par les autorités de l'organisation ; **GABRIELLE O'BRIEN**, née à la Jamaïque en 1991, meilleure amie de Kerry ; **BRUCE NORRIS**, né en 1992 au pays de Galles, surdoué des arts martiaux ; **CALLUM** et **CONNOR REILLY**, jumeaux nés en 1993, spécialistes des épreuves d'endurance et des langues étrangères.

Les faits décrits dans le rapport que vous allez consulter se déroulent en 2005.

Rappel réglementaire

En 1957, CHERUB a adopté le port de T-shirts de couleur pour matérialiser le rang hiérarchique de ses agents et de ses instructeurs.

Le T-shirt **orange** est réservé aux invités. Les résidents de CHERUB ont l'interdiction formelle de leur adresser la parole, à moins d'avoir reçu l'autorisation du directeur.

Le T-shirt **rouge** est porté par les résidents qui n'ont pas encore suivi le programme d'entraînement initial exigé pour obtenir la qualification d'agent opérationnel. Ils sont pour la plupart âgés de six à dix ans.

Le T-shirt **bleu ciel** est réservé aux résidents qui suivent le programme d'entraînement initial.

Le T-shirt **gris** est remis à l'issue du programme d'entraînement initial aux résidents ayant acquis le statut d'agent opérationnel.

Le T-shirt **bleu marine** récompense les agents ayant accompli une performance exceptionnelle au cours d'une mission.

Le T-shirt **noir** est décerné sur décision du directeur aux agents ayant accompli des actes héroïques au cours d'un grand nombre de missions. La moitié des résidents reçoivent cette distinction avant de quitter CHERUB.

La plupart des agents prennent leur retraite à dix-sept ou dix-huit ans. À leur départ, ils reçoivent le T-shirt **blanc**. Ils ont l'obligation — et l'honneur — de le porter à chaque fois qu'ils reviennent au campus pour rendre visite à leurs anciens camarades ou participer à une convention.

La plupart des instructeurs de CHERUB portent le T-shirt blanc.

Août 2004

Les deux filles de treize ans étaient vêtues à l'identique, d'un short en nylon, d'un T-shirt sans manches et d'une paire de sandales en plastique. Jane, adossée au mur de béton de l'immeuble, chassa du bout des doigts les mèches de cheveux humides qui retombaient devant ses yeux. Hannah était avachie sur les premières marches de l'escalier.

— Je sais pas trop, souffla Jane.

Ces mots n'avaient aucun sens, mais Hannah comprit ce qu'elle avait en tête. C'était le milieu des vacances et le jour le plus chaud de l'été. Les deux amies s'ennuyaient, et la canicule mettait leurs nerfs à l'épreuve. Elles traînaient ensemble depuis des semaines et n'avaient plus grand-chose à se dire.

Hannah se tourna vers les gamins qui tapaient dans un ballon sur le terrain de foot, en plein soleil, à une vingtaine de mètres de la cage d'escalier.

— Rien qu'à les regarder, je suis crevée, lança Hannah.

— On était comme eux, à leur âge, dit Jane. On tenait pas en place. Nous, notre truc, c'était les courses à vélo, tu te souviens ?

Des images du passé se bousculèrent dans l'esprit d'Hannah. Un sourire éclaira son visage.

— Ouais, le grand prix Barbie, murmura-t-elle, l'air songeur.

Elle revoyait la petite bicyclette rose, les roues à rayons chaussées de pneus noir et blanc, sa grand-mère qui la surveillait, allongée dans une chaise longue, tandis qu'elle filait sur les dalles de la cité, au mépris du danger et des vibrations.

9

— On avait exactement la même bécane, toi et moi, dit Jane.

Elle replia les orteils, et la semelle de sa sandale vint claquer contre son talon. Soudain, elle vit le ballon de cuir frôler le crâne de son amie et frapper le mur à quelques centimètres de son visage.

— Vous pouvez pas faire attention ? protesta Hannah.

La balle rebondit sur les marches. Elle s'en saisit. Un petit garçon vint se planter devant elle. Âgé de huit ou neuf ans, il était torse nu mais portait un maillot de Chelsea noué autour de la taille. Ses côtes saillantes se soulevaient à chaque respiration. Il tendit les mains vers le ballon.

— Rends-le-moi, lâcha-t-il, le souffle court.

— J'ai failli la prendre en pleine poire, gronda Jane. Tu pourrais au moins dire pardon.

— On a pas fait exprès.

Les camarades de l'enfant, furieux de voir leur partie interrompue, ne tardèrent pas à le rejoindre. Hannah, désormais consciente qu'elle n'avait pas été volontairement prise pour cible, s'apprêtait à restituer la balle lorsqu'un garçon aux cheveux roux, nettement plus grand que les autres, lui lança :

— Magne-toi, la grosse !

Hannah fendit la foule des gamins aux torses suants et se planta devant son adversaire, les mains serrées sur le ballon.

— Tu peux répéter, rouquin ?

Réalisant que celle qu'il avait insultée avait au moins trois ans de plus que lui et qu'elle le dominait de la tête et des épaules, il contempla la pointe de ses Nike d'un air stupide. Ses camarades le considéraient sans dire un mot.

— Alors, t'as perdu ta langue ? grogna Hannah, qui prenait un vif plaisir à voir ce mioche se balancer nerveusement d'un pied sur l'autre.

— Je veux simplement récupérer mon ballon.

— Eh ben, va le chercher.

Elle laissa tomber la balle, et la frappa du cou-de-pied juste avant qu'elle ne touche le sol, l'envoyant rouler à l'autre bout du terrain de football. Hélas, elle avait mis tant de force dans ce drop que sa sandale suivit la trajectoire du ballon.

Le rouquin fit trois pas en arrière et saisit la chaussure au vol. Enchanté par ce retournement de situation inattendu, il sourit, la porta à ses narines et la huma.

— Ouah, ça schlingue. Tu prends jamais de douche ?

Ses amis se tordirent de rire. Hannah bondit en avant pour lui arracher l'objet mais le garçon esquiva, puis le lança à l'un de ses complices. Elle boita dans sa direction. Des graviers s'enfoncèrent dans la plante de son pied nu. Être le jouet de cette bande de morveux l'humiliait au plus haut point.

— Donne-moi cette sandale ou je te démonte la tête, gronda-t-elle.

La chaussure changea à nouveau de main, et Jane se joignit à la mêlée pour prêter main-forte à son amie.

— Rends-lui sa chaussure immédiatement ! tempêta-t-elle.

Plus les jeunes filles exprimaient leur colère, plus les garçons riaient. Ils couraient dans tous les sens, évitaient leurs assauts, anticipaient chacun de leurs mouvements. Soudain, Jane vit leurs visages se figer.

Comprenant à son tour que quelque chose clochait, Hannah pivota sur les talons et vit, du coin de l'œil, une masse s'écraser dans la cage d'escalier, à l'endroit précis où elle s'était tenue une minute plus tôt. La rambarde métallique s'effondra. Ses yeux se posèrent sur la semelle usée d'une basket, puis sur la jambe d'un jean émergeant de l'amas de gravats. Alors, elle reconnut le corps disloqué. Un flot d'adrénaline déferla dans ses veines. Un cri jaillit de sa gorge.

— Will... Non, pour l'amour de Dieu...

Ce n'était plus qu'un corps sans vie, oui, mais ça ne pouvait pas être réel. Elle enfouit son visage entre ses mains et hurla à s'en briser les cordes vocales. Elle fit tout son possible pour se persuader qu'il s'agissait d'un mauvais rêve. Ces choses-là ne se produisaient pas dans la vie réelle. Elle allait se réveiller d'un moment à l'autre et tout serait comme avant...

1. Trente-six minutes

Depuis trois ans, George Stein exerce les fonctions de professeur d'économie au collège privé de Trinity Day, à Cambridge. Selon des informations récemment mises au jour, Stein pourrait entretenir des relations avec le groupe écoterroriste Sauvez la Terre !

(Extrait de l'ordre de mission de Callum Reilly et Shakeel « Shak » Dajani.)

JUIN 2005

Il faisait un temps superbe. Aux yeux de James, ce quartier de Cambridge puait le fric à plein nez. Il considérait avec étonnement les pelouses parfaitement entretenues et les grosses berlines allemandes de luxe garées sur les aires de stationnement privées. Shakeel marchait à ses côtés, vêtu comme lui de l'uniforme d'été de Trinity : une chemise blanche, une cravate, un pantalon gris galonné d'orange, un blazer et une casquette assortie.

— Franchement, grogna James, j'ai beau me creuser la tête, je ne vois pas comment cet uniforme pourrait être plus ridicule.

— Ils pourraient toujours rajouter quelques plumes sur la casquette.

— Et ce foutu pantalon a été taillé pour ce nain de Callum ! Il me scie en deux au niveau de la braguette !

Shak esquissa un sourire.

— Tu ne peux pas en vouloir à Callum de s'être retiré de la

mission à la dernière minute. Tu préférerais être à sa place, cloué sur la cuvette des toilettes par cette saloperie de gastro ?

James hocha la tête.

— J'y ai eu droit la semaine dernière. J'ai passé deux jours aux chiottes.

Shak consulta sa montre pour la dix millième fois.

— Faut qu'on se magne.

— On a un timing précis ? demanda James.

— Trinity n'a pas grand-chose à voir avec ton ancien bahut de Londres, James. L'équipe de direction n'est pas hyper compréhensive, et tu ne pourrais pas te pointer en classe à la bourre, en maillot d'Arsenal. C'est l'une des écoles privées les plus friquées d'Angleterre. Il est interdit de traîner dans les couloirs. Il faut qu'on arrive pile pour le troisième interclasse et qu'on se mêle à la foule des élèves.

— OK, j'ai pigé.

Ils empruntèrent une rue pavée à peine assez large pour permettre le passage d'une voiture.

— Dépêche-toi, James.

— Je fais ce que je peux, mais j'ai peur de craquer mon froc.

Ils s'engouffrèrent entre deux maisons et débouchèrent une dizaine de mètres plus loin, dans un jardin à l'abandon. Des hautes herbes émergeait un portique rouillé soutenant deux balançoires aux planches de bois vermoulues. Les deux agents marchèrent vers le grillage surmonté de fil de fer barbelé qui séparait la friche du terrain de rugby de Trinity Day.

Shak suivit le périmètre, slalomant entre les crottes de chien et les papiers gras, à la recherche du point d'entrée établi la nuit précédente par un agent du MI5. Il trouva enfin la découpe dans le grillage, dissimulée derrière un large tronc d'arbre du parc de Trinity. Il souleva le pan de treillis métallique.

— Après vous, très cher, lança-t-il avec un accent terriblement snob.

James glissa son sac à dos et sa casquette dans l'ouverture, rampa jusqu'au tronc d'arbre, s'y adossa puis épousseta son uniforme. Shak le rejoignit.

— On est dans les temps ? demanda James en épaulant son sac à dos.

— Oui, mais t'es sûr que t'oublies rien ? lança Shak.

James poussa un soupir et se pencha pour ramasser sa casquette dans l'herbe. Son sac bourré de matériel pesait une tonne. Une sirène stridente retentit à l'intérieur de l'école, à deux cents mètres de là, annonçant la fin de l'heure de cours.

— OK, on y va, dit Shak.

Les garçons jaillirent de leur cachette et s'élancèrent vers le bâtiment. Alors, ils remarquèrent un homme qui courait dans leur direction, à l'autre extrémité du terrain.

— Eh, vous deux ! gronda-t-il.

James, qui avait dû remplacer Callum à la dernière minute, avait parcouru l'ordre de mission en diagonale. Il adressa à son coéquipier un regard anxieux.

— Pas de panique, chuchota Shak. Laisse-moi faire.

L'homme intercepta les garçons au pied des poteaux de rugby. C'était un colosse aux cheveux gris taillés très court. Il portait des bottes en caoutchouc et une combinaison maculée de boue.

— Qu'est-ce que vous fabriquiez derrière cet arbre ? demanda-t-il.

— J'ai passé la pause déjeuner à bouquiner dans l'herbe, expliqua Shak. J'ai oublié ma casquette alors je suis retourné la chercher et...

— Vous ne connaissez pas le règlement intérieur ?

Shak et James considérèrent le gardien d'un air stupide.

— N'essayez pas de jouer au plus malin avec moi. Vous savez pertinemment de quoi je parle. En dehors des leçons d'éducation physique, des séances d'entraînement et des rencontres officielles, il est formellement interdit de pénétrer sur les terrains de sport.

— Oui, monsieur, dit Shak en baissant la tête. Veuillez m'excuser, j'avais peur d'être en retard.

— C'est bon, ça va, lança James. Elle est pas en sucre, votre pelouse.

Le gardien perçut cette insolence comme une atteinte inadmissible à son autorité. Il fit un pas en avant et se mit à hurler, couvrant James d'une douche de postillons.

— C'est moi qui dicte les règles ici, jeune homme ! Ce n'est pas à *toi* de décider si tu es autorisé à piétiner *mes* terrains. Compris ?

— Oui, monsieur, dit James.

— Donnez-moi vos noms.

— Joseph Mail, murmura James, heureux de pouvoir tirer profit de l'un des rares détails du scénario de couverture qu'il avait retenus du briefing de mission.

— Faisal Asmal, dit Shak.

— Fort bien, s'exclama le gardien, l'air très satisfait de lui-même. Je rédigerai un rapport concernant vos agissements. J'espère que cela vous vaudra une retenue. Allez, filez. Tâchez de ne pas vous mettre en retard. Cela ne ferait qu'aggraver votre cas.

Les deux agents pressèrent le pas en direction du collège.

— T'as pas pu t'empêcher d'ouvrir ta gueule, hein ? demanda Shak, furieux.

— Je sais que j'aurais pas dû, dit James, mais il se la pétait tellement.

Ils empruntèrent une courte volée de marches, franchirent une double porte et s'engagèrent dans un couloir qui traversait le bâtiment de part en part.

Des centaines d'élèves marchaient du même pas décidé, saluant poliment les professeurs qui se tenaient, l'air inquisiteur, à l'entrée des salles de classe.

— Quelle bande de fayots, chuchota James.

— Il faut passer un examen et un entretien devant un jury

pour être admis dans ce bahut, dit Shak tandis qu'ils gravissaient un escalier. Vu la longueur de la liste d'attente, ils peuvent se permettre de virer tous ceux qui sortent un peu des rails.

— Je crois que je tiendrais pas très longtemps ici, dit James en souriant.

En quelques minutes, tous les élèves rejoignirent leur salle de classe, et les deux agents se retrouvèrent seuls dans le long couloir du deuxième étage. Shak s'immobilisa devant une porte ornée d'une plaque de cuivre sur laquelle figurait l'inscription :

DR GEORGE STEIN,

LICENCIÉ ÈS SCIENCES,

DOCTEUR EN PHILOSOPHIE,

DIRECTEUR DU DÉPARTEMENT ÉCONOMIE ET SCIENCES POLITIQUES.

Il tira son pistolet à aiguilles de la poche de son blazer et glissa l'extrémité de l'instrument dans la serrure. Le mécanisme céda sur une simple pression de la détente. Il tourna la poignée. Les deux agents pénétrèrent dans le bureau. James poussa le verrou afin que nul ne puisse les surprendre au cours de la perquisition.

— En théorie, Stein donne un cours deux étages plus haut, dit Shak. On a jusqu'au prochain interclasse. Ça nous laisse exactement trente-six minutes. Au boulot !

2. Les doigts dans le nez

Shak se précipita vers la fenêtre et abaissa les stores vénitiens. Il crocheta la serrure d'une haute armoire métallique puis commença à passer en revue les dossiers qu'elle contenait.

Comme l'exigeait son ordre de mission, il était à la recherche de documents permettant d'établir la nature exacte des relations entre George Stein et certains groupes radicaux de défense de l'environnement.

James s'assit devant le bureau et enfonça le bouton d'alimentation du PC. Il sortit de son sac à dos un portable miniaturisé JVC puis établit une connexion câblée entre les deux machines. Quand la fenêtre de saisie du mot de passe apparut sur l'écran de Stein, James lança une application de diagnostic depuis son ordinateur.

Lorsque le logiciel eut récupéré toutes les informations concernant le disque dur et le système d'exploitation, il ouvrit le module du programme de piratage qui lui permettait de lister tous les dossiers.

— Les doigts dans le nez, lança-t-il, l'air confiant.

Il cliqua sur l'icône *cloner*, et le notebook commença à copier le contenu intégral du PC.

— Taille du disque dur ? demanda Shak.

— Huit gigas deux. Selon la barre de progression, ça devrait prendre à peu près six minutes.

Sur ces mots, il grimpa sur le bureau pour retirer le cache

de plastique translucide qui recouvrait le néon du plafond. Il étudia le montage électrique, puis lança à son coéquipier :

— Éteins la lumière.

Shak actionna l'interrupteur. James ôta le tube, le posa délicatement à ses pieds, puis remplaça l'une des douilles par une pièce d'aspect rigoureusement identique tirée de son sac à dos, un dispositif estimé à trois mille dollars équipé d'un microphone pas plus gros qu'une tête d'épingle, d'un transmetteur et d'une puce capable de stocker cinq heures d'enregistrement audio. Les systèmes d'éclairage sont des emplacements idéaux pour cacher des micros espions, car ils disposent d'une source d'alimentation et sont installés dans des espaces dégagés qui facilitent la prise de son.

James se hissa sur la pointe des pieds pour replacer le cache. Alors, comme il l'avait redouté toute la matinée, il entendit craquer la couture de son pantalon.

— Super, ton caleçon, lança Shak, fendu jusqu'aux oreilles, en considérant le pan de tissu coloré qui dépassait de l'entrejambe de son ami.

— Je me sens vachement plus à l'aise. Je vais peut-être pouvoir avoir des enfants, finalement.

Il descendit du bureau, inspecta la veste suspendue à la patère de la porte et y trouva un trousseau. Grâce à des petits pains de cire semblables à des gaufrettes, il réalisa une copie de chaque clé. Shak posa une pile de dossiers sur le bureau et balaya plusieurs documents à l'aide d'un scanner à main.

L'ordinateur portable émit un signal d'alerte, indiquant qu'il avait achevé la procédure de duplication. James lança le programme d'installation d'un logiciel de surveillance chargé d'enregistrer toute séquence de caractères composée sur le clavier du PC et de la transmettre en temps réel, via Internet, à la station d'écoute du MI5, à Caversham.

Shak replaça les dossiers à l'intérieur de l'armoire, puis sortit de son sac un petit boîtier métallique de fabrication artisanale bardé de bande adhésive, un dispositif destiné à capturer et à reproduire les signaux radio émis par les clés de voiture électroniques. Il mit l'appareil sous tension en retirant le morceau de carton qui séparait la pile AA du contacteur, puis plaça le commutateur en position *acquisition*.

— Appuie sur le bipper, demanda-t-il à James.

Ce dernier actionna la télécommande de Stein. La diode verte du boîtier clignota, indiquant que l'opération de copie du signal avait été couronnée de succès.

— Et maintenant ? demanda James en replaçant le trousseau dans la poche de la veste.

Shak consulta sa montre.

— On a six minutes d'avance.

Les deux garçons procédèrent à un dernier examen des lieux afin de s'assurer qu'ils avaient récupéré tout leur équipement et laissé la pièce dans l'état exact où ils l'avaient trouvée. Lorsque la sirène indiquant la fin du cours retentit, ils se glissèrent hors du bureau et regagnèrent le rez-de-chaussée d'un pas vif. James constata avec soulagement que la partie arrière de son blazer recouvrait la déchirure de son pantalon.

Ils quittèrent le bâtiment scolaire et se dirigèrent vers le gymnase flambant neuf sous lequel se trouvait le parking souterrain réservé aux professeurs. Ils pénétrèrent dans le hall, passèrent devant la porte d'un vestiaire où un groupe d'élèves se changeait pour une leçon d'éducation physique, puis s'engagèrent dans un long couloir aux murs tapissés de photos en noir et blanc représentant d'anciennes équipes de rugby de Trinity. Ils poussèrent une porte coupe-feu surmontée d'un panneau *réservé au personnel*, puis dévalèrent l'escalier de béton menant au parking.

Ils identifièrent rapidement la voiture gris métallisé de Stein. Shak tira l'émetteur de sa poche et positionna le commutateur sur *transmission*. James introduisit une clé de concessionnaire dans la portière avant gauche. Cet objet était destiné à ouvrir toutes les voitures d'un même modèle, mais il n'était pas équipé des composants chargés de neutraliser le système de sécurité électronique.

— Prêt ? lança-t-il à son coéquipier. À zéro, tu appuies sur le bouton. Trois, deux, un, zéro.

Il tourna la clé au moment précis où Shak activait le transpondeur. L'alarme émit un bref sifflement puis s'interrompit. James s'assit devant le volant et se pencha sur la droite pour déverrouiller la portière côté passager. Il inclina son siège, ôta le cache du plafonnier et l'ampoule, puis remplaça la douille plastique par une réplique dissimulant un dispositif d'enregistrement.

Shak examina le contenu de la boîte à gants et en sortit plusieurs reçus qu'il numérisa à l'aide de son scanner. Ensuite, il inspecta le reste de la cabine mais n'y trouva qu'un atlas routier et une quantité considérable de gobelets en carton usagés.

— C'est bon ? demanda James en actionnant le levier pour repositionner le fauteuil à la verticale.

Shak hocha la tête.

— Y a plus qu'à se tirer d'ici sans se faire coincer.

Au moment où ils s'apprêtaient à quitter le véhicule, ils virent une jeune femme émerger de la cage d'escalier.

— Et merde… chuchota James, avant de se recroqueviller sur son siège.

La femme alluma une cigarette, aspira chaque bouffée comme si sa vie en dépendait, écrasa le mégot du talon, puis repartit d'où elle était venue.

Ils attendirent deux minutes avant de se remettre en route. Le plan de mission prévoyait qu'ils devaient se cacher derrière le complexe sportif en attendant la sortie des classes, puis quitter Trinity par le portail principal en se mêlant à la foule des élèves.

En passant devant le vestiaire à présent désert, James remarqua que la porte était restée ouverte. Une douzaine de pantalons d'uniforme étaient éparpillés sur des bancs de bois.

— Couvre-moi, lança-t-il. Il faut que je me change.

Shak ne voyait pas d'un bon œil ce contretemps inattendu, mais il comprenait ce que son coéquipier pouvait éprouver à la perspective de se retrouver en caleçon au beau milieu d'une mission.

James essaya trois pantalons avant d'en trouver un à sa taille. Il l'enfila à la hâte puis rejoignit son camarade. Ce dernier considérait une porte d'un air pensif.

— Logiquement, ça donne sur l'arrière du gymnase, dit-il. Si on passe par là, on n'aura pas besoin de faire tout le tour du bâtiment.

James jeta un œil à la vitre dépolie et constata que la porte donnait sur l'extérieur.

— Pourquoi pas ?

Il poussa la poignée vers le bas et ouvrit la porte d'un coup d'épaule. Alors, une sonnerie stridente jaillit d'un boîtier en plastique fixé au-dessus de leurs têtes. Les garçons échangèrent un regard effaré. Un prof de gym taillé comme un videur de boîte de nuit courait sur la pelouse dans leur direction.

— À quoi vous jouez, vous deux ?

— On court ? demanda James.

Il entendit des semelles de cuir crisser sur le lino. Se retournant, il vit Shak détaler comme un lapin vers la sortie du gymnase.

3. Kalashnikov

Depuis la mort de sa mère, deux années plus tôt, Lauren Adams, onze ans, n'avait pas cédé à son désir de se teindre de nouveau les cheveux en noir, de peur de trahir sa mémoire.

Bethany, sa meilleure amie, avait déployé les grands moyens pour la faire changer d'avis. Après quelques vaines tentatives de persuasion, elle avait innocemment déposé une boîte de teinture dans sa salle de bains et affirmé sans le moindre souci de crédibilité qu'elle l'avait achetée par erreur. Bien entendu, Lauren n'en avait pas cru un mot, mais elle avait mordu à l'hameçon sans offrir beaucoup de résistance.

Penchée devant le miroir, elle ébouriffa ses cheveux. Avec son T-shirt Linkin Park et son jean déchiré, ils lui donnaient un look sauvage. Pourtant, craignant la réaction des autres agents du campus, elle observa longuement son image dans tous les objets réfléchissants avant de se décider à enfiler son T-shirt CHERUB et de quitter la chambre.

Deux heures de cours plus tard, exaspérée par les moqueries qu'elle avait dû essuyer de la part de quatre T-shirts rouges, elle pénétra dans la salle où devait se tenir la réunion préparatoire à l'exercice de combat en milieu urbain (ECMU). Elle ne se sentait pas réellement blessée, car ces morveux avaient l'habitude de critiquer tout ce qui entrait dans leur champ de vision, mais elle avait dû encaisser leurs provocations sans broncher, sous peine de les encourager, et elle était de très méchante humeur.

Les agents des équipes A, B, C et D se tenaient debout autour de leur table respective. Kerry, la petite amie de James, et sa copine Gabrielle faisaient partie de l'équipe C. Kyle, le vieux complice de James, avait été chargé de diriger l'équipe A.

Lauren s'assit à la table D, à côté de Bethany Parker et de son petit frère Jake. Dana Smith, alias Cheddar, fidèle à son caractère solitaire, se tenait à l'écart. Elle balayait la salle d'un regard lointain qui signifiait clairement : « *Personne ne m'aime, et je n'en ai strictement rien à foutre.* »

Âgé de neuf ans, Jake n'avait pas encore atteint l'âge légal pour se présenter au programme d'entraînement initial et devenir un agent opérationnel. Outre l'enseignement traditionnel des enfants de son âge, il suivait des cours d'arts martiaux et parlait déjà couramment l'espagnol et le français. Cet exercice de combat était sa première expérience sur le terrain.

Dana avait été recrutée par CHERUB dans un orphelinat australien. À quatorze ans, c'était un vrai garçon manqué. Vêtue d'une veste de combat froissée, elle était avachie sur une chaise, les jambes largement écartées. Sa force physique exceptionnelle lui avait permis de remporter de nombreux trophées de karaté et trois victoires consécutives lors du triathlon annuel de CHERUB. Elle avait obtenu sa qualification d'agent opérationnel quatre ans plus tôt mais, n'étant jamais parvenue à briller au cours des missions auxquelles elle avait participé, elle portait toujours le T-shirt gris.

— Salut, Dana, dit Lauren.

— Salut, *mon général*, répliqua cette dernière, avec un fort accent australien.

Peu après avoir reçu le T-shirt bleu marine, Lauren avait réalisé que cette distinction ne comportait pas que des avantages. Elle était heureuse de pouvoir frimer au réfectoire, mais le fait d'occuper un rang hiérarchique supérieur à celui d'agents plus âgés lui valait de solides inimitiés.

— Où est ton frère ? demanda Dana.

— Il est parti en mission à la dernière minute. Il ne sera pas revenu avant vingt heures. Il m'a demandé de prendre des notes.

— Ça craint, tes cheveux, lâcha Jake.

Lauren brandit un poing serré devant son visage.

— Pas autant que ta tronche quand je me serai occupée de ton cas.

— Hou, je suis mort de trouille, répondit le petit garçon avec une moue dédaigneuse.

Lauren se tourna vers Bethany et secoua lentement la tête.

— Les mecs sont *vraiment* trop nuls.

— Tu m'étonnes, dit Bethany en lançant à son frère un regard assassin.

Alors, Mr Large, l'instructeur en chef à la réputation de sadique professionnel, entra dans la pièce, suivi de ses adjoints, Mr Pike et Mr Greaves, deux colosses d'une vingtaine d'années à la carrure de boxeurs poids lourds. Tous deux étaient d'anciens agents de CHERUB qui avaient fait carrière dans des unités d'élite de l'armée britannique avant de reprendre du service dans l'organisation.

Tout le monde craignait Mr Large, mais Lauren plus que tout autre. L'instructeur lui vouait une haine féroce depuis qu'elle l'avait étendu à coups de pelle dans un trou boueux, au cours d'un exercice d'entraînement qui avait tourné au vinaigre[1].

— Fermez-la, bande de larves ! hurla-t-il avant de claquer violemment la porte de la salle.

— Sa moustache a encore grossi, chuchota Bethany. On dirait qu'il a un hamster crevé scotché sous le pif.

L'image de Mr Large se collant un rongeur sur la lèvre supérieure à l'aide de ruban adhésif s'imposa dans l'esprit de Lauren. Un sourire involontaire éclaira son visage.

— Qu'est-ce qui te fait marrer, jeune fille ? hurla l'instructeur en chef.

---

1. Voir *Trafic* (CHERUB mission 2).

— Rien, monsieur.

— Alors comme ça, tu rigoles sans aucune raison, comme une débile ? C'est quoi, ton problème ? T'as les neurones qui partent en sucette ? Et lève-toi quand tu t'adresses à moi.

Lauren se dressa d'un bond.

— Oh, mais quel magnifique T-shirt, cracha Large. Et ces cheveux assortis à ta petite âme toute noire… Tu sais que je pense à toi tous les matins, Lauren Adams, quand je me réveille avec cette douleur dans le dos, là où tu m'as dégommé ? Je devrais être en Norvège pour un programme d'entraînement en ce moment, avec Mr Speaks et Miss Smoke. Mais l'état de mes vertèbres m'oblige à rester coincé ici, à supporter ta sale petite tronche de truie dégoûtante. Pour moi, tu es une sous-merde, Adams. Répète ce que je viens de dire, c'est un ordre.

— Je suis une sous-merde, monsieur, répondit Lauren sans desserrer les mâchoires.

Les vexations et les souffrances que lui avait fait subir l'instructeur au cours du programme d'entraînement initial lui revinrent en mémoire. Il était sans doute la seule personne au monde envers qui elle était incapable de ressentir la moindre culpabilité.

— Au tableau, ordonna l'homme. Tu vas m'aider à procéder à une petite démonstration.

Lauren traîna des pieds jusqu'à l'estrade.

— Tout le monde est là ? demanda Large en scrutant l'assistance. Où se trouve le frère de Sous-Merde ?

— Il est parti en mission tôt ce matin, expliqua Bethany. Il devrait être de retour vers vingt heures.

— Je vois, gronda l'instructeur en lançant à Lauren un regard noir, comme s'il la tenait pour responsable de l'absence de James. Écoutez-moi bien, mes petits sucres d'orge. L'exercice que je vous ai préparé est destiné à mesurer votre capacité à travailler en équipe sous haute tension. Pour certains d'entre vous, ce sera une première expérience sur le terrain. Pour les autres, il s'agira de mettre en œuvre vos compétences de commandement et de gestion des troupes. Les règles sont les suivantes. Chacune des quatre équipes de cinq membres est composée d'un leader de rang hiérarchique égal ou supérieur à bleu marine, de trois autres agents opérationnels et d'un rouge de neuf ans totalement inexpérimenté. Chaque participant va recevoir six œufs, avec son nom écrit sur la coquille, ce qui nous fait trente œufs par équipe. Vous devrez les porter sur vous en permanence. Nous allons vous déposer en voiture au centre d'entraînement SAS, pas très loin d'ici. Les quatre équipes seront lâchées sur le terrain de manœuvres en milieu urbain à vingt heures précises. L'exercice s'achèvera demain matin à huit heures. L'équipe qui terminera avec le plus grand nombre d'œufs intacts remportera la partie. Histoire de vous motiver, je vous précise que les membres de l'équipe la moins performante auront la joie de prendre une longue douche froide puis de m'accompagner pour un petit footing matinal dans la campagne, avec équipement de combat complet. Les chefs d'équipe seront chargés de définir la stratégie. Vous pourrez rester planqués et éviter le contact avec l'ennemi, ou vous montrer plus offensifs en débusquant les membres des autres équipes pour détruire leurs œufs. Vous trouverez du matériel disséminé sur le terrain d'entraînement. Vous devrez relâcher vos éventuels prisonniers dès qu'ils vous auront abandonné leurs œufs. Il est interdit de retirer les équipements de protection de vos adversaires, d'avoir recours à la torture et de faire feu à moins de trois mètres d'une cible. Oh, j'oubliais… Pour la gent féminine, les coups de pied dans les parties sensibles des garçons sont éliminatoires.

Les filles émirent un grognement de frustration.

— Vous porterez des dispositifs de localisation équipés de systèmes d'urgence. Ça signifie que je saurai exactement où vous vous trouvez à tout moment et que je me tiendrai prêt à débarquer pour vous botter le train si vous ne respectez pas les règles. En outre, le village de combat est bourré de caméras de surveillance. Une sirène annoncera la fin de l'exercice. Maintenant, passons à l'aspect le plus croustillant de cette simulation...

Les agents retinrent leur souffle.

— Vous allez avoir la chance d'expérimenter le top du top en matière de simulation de combat, un procédé faisant appel à des munitions synthétiques conçues pour l'entraînement des Marines américains. Je vais à présent procéder à une petite démonstration comparative qui vous permettra de mesurer l'écart de performance entre le paint-ball traditionnel et ce nouveau système. Pour cela, je vais demander à ma répugnante assistante, miss Sous-Merde, de se placer à l'autre bout de la salle et de tenir ceci contre sa poitrine.

Large tendit à son élève une planchette carrée de trente centimètres de côté sur deux centimètres d'épaisseur. Lorsqu'elle fut en place, il saisit un lanceur paint-ball sur le bureau et fit feu dans sa direction. La bille éclata contre le bois. Des gouttelettes de peinture mauve mouchetèrent les bras nus de Lauren.

— Aucune puissance, portée ridicule et précision minable, lança l'instructeur en jetant l'arme avec mépris. Maintenant, essayons celui-ci.

Il s'empara d'un authentique fusil d'assaut.

— Voilà ce que j'appelle un flingue digne de ce nom. Un AK-M, *made in* Hongrie. Depuis cinquante ans, il n'y a pas eu un conflit armé sur cette bonne vieille Terre qui n'ait vu des combattants armés d'une des variantes de la Kalashnikov. Cette firme produit des pétoires compactes, légères et extra-ordinairement solides.

Large glissa un chargeur en forme de banane dans le fusil et tourna le sélecteur en position coup par coup.

— Je ne vous cache pas que je rêve de faire un carton sur miss Sous-Merde à balles réelles, mais cet AK est chargé à munitions simulées. Ce projectile a été créé pour offrir aux soldats à l'entraînement l'expérience la plus proche possible d'un véritable combat, et je peux vous garantir qu'on n'est pas loin de la réalité.

Mr Large visa la planchette et enfonça la détente. Le son produit par l'arme était comparable à celui produit par le lanceur paint-ball, mais lorsque la balle atteignit son but, l'impact fut tel que Lauren recula de deux pas. Des échardes lui volèrent au visage. Sous le choc, elle examina la planche et y vit une profonde entaille maculée de peinture.

— Compte tenu de la puissance de ces munitions, vous devrez porter des casques et des protections pare-balles complètes, expliqua l'instructeur. Ne les retirez pas, à moins que ce ne soit absolument nécessaire. Chacun de vous va recevoir une gourde spéciale équipée d'un tuyau qui vous permettra de boire sans soulever votre visière. Si vous avez une envie pressante, placez-vous face à un mur et demandez à l'un de vos équipiers de vous couvrir.

Kerry leva la main.

— Oui, mon petit ange ?

— Monsieur, quelles sont les règles si on est touché ? Il faut rester allongé pendant dix minutes ou un truc dans le genre ?

Le hamster frétilla sous le nez de Large, puis un sourire maléfique éclaira son visage.

— Comme je vous le disais, cette nouvelle génération de munitions simulées est conçue pour placer les combattants dans une situation réaliste. S'ils ont *vraiment* peur d'être touchés, ils se comportent de façon crédible. Pas besoin de dispositif électronique sophistiqué pour vous dire où vous avez été atteint, ou de règles indiquant combien de temps vous devez rester à l'écart du combat. C'est beaucoup plus simple que ça : dès que vous aurez pris une de ces balles, vous allez comprendre votre douleur.

4. Feinte de corps

James et Shak franchirent la double porte. Le portail de Trinity ne se trouvait qu'à une cinquantaine de mètres, mais son ouverture était contrôlée depuis l'intérieur de l'établissement et ils ne disposaient pas du temps nécessaire pour l'enjamber avant d'être interceptés par l'entraîneur. Ils n'avaient pas d'alternative : il leur fallait rebrousser chemin et fuir par la brèche pratiquée dans la clôture.

James jeta un coup d'œil par-dessus son épaule et constata que leur poursuivant gagnait rapidement du terrain. Ils contournèrent le gymnase, leurs chaussures à semelles de cuir dérapant dangereusement sur la pelouse. Lorsqu'ils atteignirent les abords du terrain de rugby, ils constatèrent avec effroi qu'il était occupé par une quinzaine d'élèves de seconde.

Sans l'ombre d'une hésitation, Shak fonça dans leur direction. James, au contraire, ralentit imperceptiblement l'allure. Il sentit le bras du professeur de gym s'enrouler autour de son torse.

— Attrapez l'autre ! cria ce dernier en désignant Shakeel de sa main libre.

L'homme ignorait qu'il n'avait pas affaire à un élève de Trinity, mais à un agent opérationnel rompu aux techniques de combat les plus dévastatrices. Avec une facilité déconcertante, James le fit basculer pieds par-dessus tête et l'envoya rouler dans l'herbe. Il considéra la silhouette athlétique de sa victime. Estimant qu'il ne pouvait se permettre de la laisser riposter, il lui porta un violent coup de poing à la base du nez. Le prof enfouit son visage entre ses mains et hurla de douleur. James leva la tête et évalua ses chances de traverser le terrain sans encombre. Shak ne se trouvait plus qu'à quelques mètres de la brèche. Tous les membres de l'équipe de rugby s'étaient lancés à ses trousses, mais il avait creusé l'écart et semblait désormais en mesure de s'échapper sans être intercepté. Seulement, une fois l'ouverture découverte par les poursuivants, James ne pourrait plus l'emprunter. Il dut se rendre à l'évidence : il n'avait d'autre solution que d'escalader la clôture surmontée de fil de fer barbelé.

Il s'élança vers la portion de grillage la plus proche, située à une cinquantaine de mètres de sa position. Deux élèves accouraient dans sa direction. Il modifia sa trajectoire et chargea le plus petit d'entre eux. Ce dernier se baissa et écarta les bras pour le tacler. Grâce à une habile feinte de corps, James parvint à esquiver l'attaque. Son adversaire tituba vers l'avant et percuta son camarade avec une telle violence que les deux garçons s'écroulèrent de tout leur long sur la pelouse.

N'ayant pas le temps de se défaire de son sac à dos et de lancer sa veste sur les barbelés, James entama l'ascension de la clôture. Les mailles du grillage étaient trop serrées pour y glisser la pointe des pieds et il dut se hisser à la seule force des bras. Il atteignit le sommet, les épaules tétanisées et les jointures des doigts au bord de la rupture.

Une main se referma sur sa cheville. Il se dégagea vivement, saisit le poteau de soutien puis, se tenant accroupi, posa précautionneusement les pieds sur les barbelés. Perché à quatre mètres du sol, il prit alors conscience du saut vertigineux qu'il allait devoir effectuer pour échapper à la meute haineuse qui se pressait désormais au pied de la clôture.

Alors, profitant de sa position précaire, ses adversaires commencèrent à secouer énergiquement le grillage d'avant en arrière.

— Descends de là immédiatement ! ordonna l'entraîneur de rugby qui se trouvait parmi eux.

L'un des pieds de James glissa, et il retomba assis sur le fil de fer barbelé. Une pointe de métal s'enfonça dans sa cuisse. Il poussa un hurlement puis se laissa tomber maladroitement de la clôture, espérant se réceptionner dans un buisson. Il tomba sur le flanc dans un massif d'hortensias. Il se releva péniblement, se tourna vers le grillage et ne put résister au plaisir d'adresser un splendide doigt d'honneur aux élèves de Trinity.

Il traversa un petit jardin en boitant, s'engagea dans l'allée qui séparait deux maisons individuelles et déboucha sur une rue passante. Il s'accroupit contre un muret et saisit son téléphone portable en s'efforçant d'ignorer la tache sanglante qui s'étendait progressivement sur son pantalon. Il composa le numéro de son contrôleur de mission.

— Ewart, je suis devant le numéro trente-quatre, Pollack Street. On a déconné. Tu dois me sortir de là, et vite.

— Je suis déjà en route pour aller chercher Shak. Retrouve-moi devant la boîte aux lettres au bout de la rue.

Au loin, James entendit une sirène de police. Son cœur s'emballa.

— Magne-toi, je t'en supplie, dit-il dans un souffle en se mettant à courir.

Alors, seulement, il ressentit une douleur aiguë à la cuisse.

∴

Ewart Asker écrasa la pédale de frein de la Mercedes noire. Shak ouvrit la portière avant même qu'elle ne se soit immobilisée, puis s'écarta pour laisser James plonger sur la banquette arrière.

— Ils t'ont suivi ? demanda ce dernier.

— Deux crétins m'ont coursé derrière la clôture, répondit

Shak. J'ai éclaté le crâne de l'un d'eux avec un nain de jardin, et l'autre s'est enfui.

James esquissa un sourire. Il essuya la sueur qui dégoulinait jusqu'à ses poignets et prit une profonde bouffée d'air conditionné.

— Alors, qu'est-ce qui s'est passé ? demanda sèchement Ewart.

James craignait sa réaction. Malgré son look *destroy*, ses *baggies*, son piercing à la langue et ses cheveux décolorés, c'était, de l'avis général, l'un des contrôleurs les plus stricts de CHERUB.

— On a déclenché une alarme en ouvrant une porte incendie donnant sur l'arrière du gymnase.

— *Tu* l'as déclenchée, précisa Shak en dénouant sa cravate.

— C'est vrai, répliqua James en ôtant sa veste, mais c'est *toi* qui as regardé par la fenêtre et qui as insisté pour qu'on passe par là.

Les deux garçons échangèrent un regard glacé. La voiture se trouvait désormais à deux rues de Trinity Day. Ewart adopta une conduite plus paisible et se fondit dans la circulation.

— Les portes coupe-feu sont souvent reliées à des systèmes d'alarme, fit-il remarquer. On ne vous a pas appris ça, pendant les cours de surveillance et d'infiltration ?

— Eh ben, maintenant que tu le dis... murmura James, la tête baissée en signe de soumission.

— Il a raison, dit Shak. Je crois que c'est ma faute.

— Je me fous de connaître le coupable pour le moment, dit Ewart en effectuant un virage à quatre-vingt-dix degrés pour s'engager dans la rue principale. Ce que je veux savoir, c'est ce qui s'est passé *précisément* et si on doit envoyer une équipe pour nettoyer des preuves. Vous avez placé les mouchards ?

— Oui, pour ça, pas de problème, répondit James.

— Est-ce que quelqu'un vous a vus entrer ou sortir du bureau ou de la voiture de Stein ?

— Non, dit Shak. On s'est fait repérer à la sortie du parking.

— Vous avez abandonné de l'équipement derrière vous ?

Les deux garçons secouèrent la tête.

— Parfait, dit Ewart. Donc, les micros sont en place et personne ne pourra remonter jusqu'à vous.

— Mais plein de gens nous ont vus, fit observer Shak.

— Réfléchis un peu. Tout ce qu'ils ont vu, c'est deux garçons portant l'uniforme de Trinity. Ils pensent sans doute que vous êtes deux gamins du coin venus foutre la merde ou piquer des trucs dans les vestiaires.

— C'est pas faux, dit James. J'ai gaulé un pantalon, et j'ai trouvé un portefeuille dans la poche arrière.

— Excellent ! s'exclama Ewart. Dans ce cas, je ne vois vraiment pas ce qui pourrait éveiller les soupçons.

— Et comment tu expliques qu'on portait des uniformes de Trinity ? demanda Shak.

Ewart haussa les épaules.

— Je suppose que vous auriez pu les dégoter dans une friperie du coin... Si ça se trouve, c'est là que les services techniques de CHERUB les ont dénichés. En plus, votre petite course-poursuite ne risque pas de faire la une des journaux. Les flics vont sûrement relever vos empreintes dans les vestiaires et montrer quelques photos anthropométriques aux élèves et aux profs qui ont eu affaire à vous, mais, à moins que la direction de l'école ne flaire un truc énorme, tout ça n'ira pas bien loin.

— Alors, tu penses que la mission est un succès ? demanda Shak.

James jeta un œil au rétroviseur central et surprit un sourire sur le visage d'Ewart.

— À part votre boulette avec la porte coupe-feu, je pense que vous avez fait du bon boulot.

James ressentit un immense soulagement. Il se tortilla sur la banquette arrière pour baisser son pantalon sanglant au-dessous du genou.

— Il y a une trousse de soins dans la bagnole ?

— Sous le siège passager avant, répondit Ewart.

— Ça fait mal ? demanda Shak.

James se pencha pour saisir une boîte en plastique vert qu'il posa entre ses pieds.

— Évidemment, répliqua James.

Il déchira l'enveloppe d'une compresse stérile et épongea le sang, dévoilant une minuscule plaie qui commençait déjà à coaguler.

— C'est rien du tout, dit Shak avec un soupçon de mépris.

— C'est hyper profond, gémit James. Je crois que la pointe a pénétré jusqu'à l'os.

— Oh, arrête de déconner. J'ai vu des coupures d'enveloppe plus impressionnantes que ça.

— Tu te rends pas compte. Je crois que je ne pourrai pas participer à l'exercice de ce soir. Ewart, tu pourras me faire un mot d'excuse ?

Le contrôleur secoua la tête.

— James, tu connais le règlement. Si tu penses que cette blessure mérite une dispense, va voir l'infirmière du campus.

— Allez, quoi, Ewart ! Je t'ai rendu service, ne l'oublie pas. J'ai accepté de te dépanner quand tu as découvert que Callum était scotché sur les toilettes.

— Charrie pas. Tu m'as pratiquement supplié de te confier cette mission. Est-ce que ça ne t'a pas permis d'échapper à l'évaluation de ce matin ? De mon point de vue, tu as un exercice prévu ce soir, et à moins que tu n'aies une dispense légale, tu y participeras.

James lança un coup de pied dans le siège avant.

— Ça fait trop chier, chuchota-t-il en s'assurant qu'Ewart ne pouvait l'entendre.

5. Bras cassés

James regagna le campus peu avant dix-neuf heures. Il disposait d'une heure pour prendre une douche, se changer et avaler quelque chose avant le début de l'exercice. Épuisé par la mission qu'il venait de remplir, il envisageait avec inquiétude la nuit blanche qui s'annonçait et ses inévitables séquelles.

Il croisa Kerry à l'entrée du réfectoire. Elle venait de dîner en compagnie de Gabrielle et des autres membres de son équipe. Elle posa un baiser sur sa joue puis le considéra d'un air moqueur. À l'évidence, elle avait longuement discuté stratégie avec ses camarades.

— Bonne chance pour ce soir, mon chou, lança-t-elle. Et fais gaffe à tes œufs, si tu ne veux pas courir dix kilomètres avec sac au dos et équipement complet.

— Quoi ? Eh, personne ne m'a mis au courant. J'ai pas réussi à voir Lauren. Elle n'est pas dans sa chambre et elle a éteint son portable.

— Tu sais au moins qui compose ton équipe, non ? gloussa Kerry. Franchement, je n'aimerais pas être à ta place.

Elle se retourna pour adresser un clin d'œil à ses coéquipiers.

— Je ne la ramènerais pas trop si j'étais vous, répliqua James en s'efforçant d'adopter une attitude parfaitement détendue. Ewart m'a filé quelques tuyaux sur le chemin du retour.

Kerry quitta le réfectoire sans prendre la peine de répondre. James réalisa qu'il devait trouver Lauren au plus vite. Se présenter sur le terrain d'exercice sans avoir étudié les cartes et élaboré une stratégie digne de ce nom relevait du suicide. Il posa un hamburger et une assiette de frites sur son plateau, s'assit à la table la plus proche et commença à dévorer son repas.

— Salut, frangin.

— Ah, justement, je te cherchais… mais… bon Dieu, Lauren, qu'est-ce que tu as fait à tes cheveux ?

La jeune fille lui adressa un sourire incertain.

— Tu aimes ?

— Eh ben, disons que c'est… euh… noir. Je crois que maman doit se retourner dans sa tombe.

Lauren se sentit profondément blessée par cette remarque.

— Tu crois vraiment qu'elle serait fâchée ?

— Mais non, t'en fais pas, dit James, réalisant qu'il avait manqué de tact. Je pense surtout qu'elle serait étonnée que tu aies attendu si longtemps après sa mort. Je te demande juste d'éviter le piercing à la narine, par pitié.

Lauren secoua la tête.

— À part les oreilles, c'est interdit avant l'âge de seize ans, au campus. Alors, quoi, tu trouves ça chouette ou pas ?

— Disons que c'est pas affreux. Cela dit, il faut que tu saches que la plupart des garçons préfèrent les blondes.

Lauren adressa à Bethany un regard entendu.

— Ça me fait au moins une bonne raison d'avoir fait ça.

James sourit.

— Je suis impatient de voir la tronche de ton premier petit copain. Comment je vais me foutre de sa gueule…

— Tu risques d'attendre longtemps, mon vieux.

— Dana n'est pas avec vous ?

Bethany haussa les épaules.

— Cheddar est retournée dans sa chambre.

— Pourquoi tout le monde l'appelle Cheddar ? demanda James.

— Parce qu'elle ne se lave jamais, répondit Bethany.

James esquissa un sourire.

— OK… elle n'est pas hyper féminine et elle porte des uniformes froissés, c'est vrai, mais je l'ai eue comme partenaire au dojo, et je peux vous dire qu'elle sent super bon.

— Elle te branche grave, on dirait, gloussa Bethany.

James lui lança un regard furibond. Cette gamine avait l'art de balancer des trucs perfides qui lui tapaient sur les nerfs.

— Ça serait pas mal si tu te décidais à grandir un peu, un de ces jours.

— T'as réussi à la battre au judo ? demanda Jake.

Lauren éclata de rire.

— Tu parles. Il s'est même fait exploser par Bethany, alors qu'elle a trois ans de moins que lui.

Jake hocha la tête.

— C'est vrai que t'es balèze, James, mais t'es hyper lent.

— Bethany ne m'a pas *explosé*, rectifia James. J'ai glissé, c'est tout.

Puis, impatient de détourner la conversation, il lança :

— Bon, c'est pas tout ça, mais il ne nous reste que quinze minutes pour définir une stratégie.

Bethany déplia sur la table une carte du terrain d'entraînement. James avala sa dernière bouchée de frites, essuya ses doigts huileux sur son pantalon et s'efforça de parler comme un véritable chef de section.

— OK, voilà ce qu'on va faire…

Il posa un doigt sur la carte.

— Euh… ici, c'est notre point d'insertion, vous voyez ? Dès le début de la mission, nous progresserons jusqu'à cette colline. On pourra poster des gardes ici et ici, et flinguer tous ceux qui essaieront d'approcher.

— Super, dit Lauren. Seulement, il y a juste un tout petit problème.

— Quoi ?

— Cette colline est située au milieu d'un lac.

— Ah bon, tu crois ?

La jeune fille hocha lentement la tête.

— Ouais, les parties bleues représentent de l'eau, en général.

— Bien vu, lança James avec un sourire embarrassé. C'était juste un test.

Jake se frappa le front.

— Pourquoi il faut *toujours* que je tombe dans l'équipe des bras cassés ?

...

Au coucher du soleil, les agents de CHERUB se rassemblèrent sur la route goudronnée, à l'extérieur du bâtiment principal. Des armures pare-balles, des AK-M et des sacs à dos avaient été déposés près d'un camion militaire.

— On part dans huit minutes ! brailla Mr Large. Magnez-vous le train, mes petits chatons !

James s'assit par terre, ôta ses rangers puis enfila une combinaison tapissée de plaques de Kevlar, des gants et un casque de combat.

— On crève de chaleur là-dedans, lança-t-il.

— Cinq minutes ! hurla Large. Cinquante tours de stade à tous ceux qui nous mettront en retard.

Jake éprouvait des difficultés à charger son arme avec ses mains gantées. James s'approcha pour l'aider.

Il glissa un chargeur dans le fusil d'assaut puis se tourna vers lui.

— Tout va bien ? T'as pas l'air dans ton assiette.

— Tu crois qu'elles font vraiment mal, ces balles ?

— Ça doit pas être le pied, mais t'inquiète pas, on est quatre pour veiller sur toi.

Sur ces mots, il tendit l'arme à Jake, mais ce dernier fit trois pas en arrière, le regard fixé sur le sol.

— Je ne veux pas y aller, gémit-il en ôtant la jugulaire de son casque. J'ai changé d'avis.

En vertu du règlement de CHERUB, nul ne pouvait contraindre un agent de moins de dix ans à participer à un exercice d'entraînement contre son gré, mais James craignait que la défection d'un participant à la dernière minute ne provoque la colère de Large. Il poussa un grognement de déception.

— Tu ne te rends pas compte de la chance que tu as, dit-il à Jake. Tu es arrivé tout jeune au campus. Moi, j'ai passé le programme d'entraînement au bout de trois semaines. J'étais gras et je savais à peine nager.

— Désolé, James, renifla le garçon. Je suis crevé. Je veux aller me coucher.

— Tu vas quand même pas nous laisser tomber maintenant ? Tu es un dur, je le sais.

— Qu'est-ce que vous attendez ? demanda Dana. On doit monter dans ce camion.

— Jake ne veut pas venir, se lamenta James.

— Comment ça, *il ne veut pas venir* ?

Elle souleva la visière de son casque et saisit fermement Jake par les épaules.

— Qu'est-ce qui cloche chez toi, gamin ? T'as la trouille ?

— Non, c'est pas ça…

— Tu sais ce que diront tes potes quand ils sauront que tu t'es dégonflé ?

Jake resta muet.

— Tu veux vraiment retourner tout de suite au bâtiment junior ? Ils vont se foutre de ta gueule, t'imagines même pas.

— Mais je…

— Lâche-nous, avec tes *mais je*. Prends ton flingue et remets ton casque. Tu vas faire comme tout le monde, grimper dans ce putain de camion et nous montrer de quoi tu es capable. Je veillerai sur toi, d'accord ?

Jake était impressionné par Dana, mais l'idée qu'elle puisse veiller sur lui avait à ses yeux quelque chose de rassurant. Il baissa la tête en signe de soumission puis prit le fusil des mains de James.

— Je suis fier de toi, soldat, lança Dana en lui adressant une claque amicale dans le dos. Allez, attrape ton sac et monte dans le fourgon.

James adressa à sa coéquipière un sourire reconnaissant.

— Bien joué.

Dana lui lança un regard méprisant puis baissa sa visière sur son visage.

— Tu devrais apprendre les deux ou trois trucs dont se servent les instructeurs pour nous motiver. Il y a rien de pire que la peur du ridicule pour un gamin de cet âge.

James hocha la tête.

— Écoute, Dana, je sais que c'est un peu bizarre que je sois chef d'équipe alors que tu es plus grande et plus expérimentée que moi, mais…

— C'est pas bizarre, James, c'est complètement nul. Alors fais-moi plaisir, épargne-moi tes discours à la con et concentre-toi sur l'exercice.

6. Comme des lapins

Les équipes A, B et C furent tour à tour déposées sur le terrain d'exercice des SAS, un rectangle d'un kilomètre sur un kilomètre et demi spécifiquement aménagé pour permettre l'entraînement des soldats en milieu urbain. Mr Large immobilisa le camion au milieu de la chaussée. Pike baissa la ridelle pour permettre aux membres de l'équipe D de mettre pied à terre.

— Terminus, tout le monde descend ! lança-t-il.

James, Jake, Lauren, Bethany et Dana sautèrent du véhicule. Pike tendit à chacun une boîte en polystyrène contenant six œufs intacts puis remonta dans la cabine.

Tandis que le camion s'ébranlait, James jeta un regard circulaire à la zone de combat. Des voitures aux carrosseries rouillées étaient alignées le long des trottoirs, vitres et pare-brise démontés pour éviter les projections de verre. Les constructions de béton nu, dont les plus hautes comptaient quatre étages, représentaient des boutiques, des habitations collectives, des immeubles de bureaux et des entrepôts. Les murs étaient constellés de traces de brûlures et de taches de peinture, les caniveaux jonchés de douilles métalliques.

Il régnait dans cette ville fantôme un calme irréel. Les cinq agents n'entendaient que le son de leurs pas et leur respiration amplifiée par la visière de leur casque lourd.

— Quelqu'un a une idée géniale ? demanda James.

Lauren désigna un bâtiment situé à quelques centaines de mètres de leur position.

— J'aime bien celui-là, dit-elle. Il est placé à la limite du terrain et il n'y a que deux façades à défendre. Vu sa hauteur, on pourrait installer un poste de surveillance sur le toit et contrôler les mouvements sur un large périmètre.

— Y a pas mieux pour se faire repérer, p'tite tête, lança Dana.

Lauren se raidit.

— C'est à moi que tu parles, Cheddar ?

— Si tu m'appelles encore une fois comme ça, je t'arrache la tête et je te crache dans le cou.

James s'interposa entre les deux jeunes filles.

— Eh, fermez-la, vous deux. On est censés se serrer les coudes, pas s'entretuer.

— Franchement, son idée est complètement débile, expliqua Dana. Les autres savent qu'on a été déposés dans cette zone. C'est le premier endroit où ils viendront nous chercher.

— De cette position, on pourra les aligner comme des lapins, insista Lauren.

— OK, OK, dit James, soudainement accablé par le poids de ses responsabilités de chef d'équipe. On pourrait poster un tireur d'élite sur le toit du bâtiment et barricader la porte pour faire croire qu'on est tous à l'intérieur. Ensuite, on se planque dans l'immeuble d'en face et on attend que ça morde.

— Ça pourrait marcher, approuva Dana.

— Tu veux monter sur le toit ? Tu tires bien ?

— Mieux que vous, j'imagine. Le problème, c'est qu'il va bientôt faire nuit et qu'on n'a pas de scope à vision nocturne.

— On s'en fout. Ouvre le feu dès que tu détectes un mouvement, histoire d'attirer l'ennemi vers ta position.

— Et si c'est l'un de vous ?

James lui lança un regard vide.

— Il nous faut un signal de reconnaissance, dit Bethany. Un miaulement ou un truc dans le genre.

James hocha la tête.

— OK, mais on répond par un aboiement. Comme ça, si un petit malin essaie de jouer au plus fin avec nous, il aura la surprise de sa vie. Mais souvenez-vous, une fois la nuit tombée, le bruit deviendra notre pire ennemi. N'appelez que si c'est absolument nécessaire.

— D'accord, dit Dana. À tout à l'heure, les losers.

Sur ces mots, elle s'élança au pas de course vers le bâtiment.

— Merci d'avoir pris *son* parti, James, dit Lauren.

— Excuse-moi, mais sur ce coup, elle avait raison.

— Votre plan ne fonctionnera que si nos adversaires mordent à l'hameçon. Qu'est-ce qui se passera s'ils sont plus malins qu'on ne le pense ?

— Tu peux me lâcher une seconde ? J'ai besoin de réfléchir. Il faut qu'on se planque. L'équipe de Kerry a été déposée à quelques centaines de mètres d'ici. Ils peuvent nous tomber dessus à tout moment.

James conduisit Lauren, Bethany et Jake vers un bâtiment de plain-pied équipé d'un auvent qui ressemblait vaguement à un fast-food. Il poussa la porte en aluminium et pénétra dans une pièce exiguë.

— Bethany et Lauren, postez-vous à la fenêtre. Moi et Jake, on couvre l'entrée de service.

— Il y a un sac posé sous cette table ! s'exclama Bethany.

— Large a dit qu'il avait dispersé de l'équipement un peu partout.

Bethany ouvrit la besace et en sortit quatre paires de lunettes de vision nocturne conçues pour être fixées à leur casque.

— Cool, dit James. Ça nous donnera un avantage énorme dès qu'il fera nuit.

— T'excite pas, répliqua Lauren. C'est le premier bâtiment où on entre et, comme par hasard, on tombe sur du matos d'enfer. Si ça se trouve, il y en a partout.

— Et si on reste planqués ici pendant que les autres équipes ramassent tout l'équipement, ajouta Bethany, on va être complètement dépassés.

James, Lauren et Bethany échangèrent un regard anxieux.

— Lauren et Jake, dit James, vous restez ici. Dégommez tous ceux qui essayent de s'approcher de Dana. Bethany et moi, on va tenter une sortie et tâcher de récupérer un peu d'armement.

— Eh, j'ai pas quatre bras ! protesta Lauren. Je fais quoi, en cas d'assaut groupé ?

— T'es pas toute seule. Jake est avec toi.

— Super, un T-shirt rouge. Ce gamin n'a aucune expérience.

— Ne m'abandonne pas avec *elle*, gémit Jake. Je peux venir avec toi ?

— James, dit Lauren, c'est pas une stratégie, c'est un désastre. Il y a une minute, on était en train de se préparer pour une embuscade. Maintenant, tu veux qu'on s'éparpille. Si nos adversaires débarquent, on va se faire allumer un par un.

— Qu'est-ce que tu veux que je fasse ? Je suis chef d'équipe, et le fait que tu sois ma sœur ne t'autorise pas à contester toutes mes décisions. Je sais que ça part un peu en impro, mais je ne peux pas laisser les autres ramasser tout l'équipement.

— Pourquoi tu n'emmènes pas Jake avec toi ?

— Comme tu veux, gronda James, excédé. Je vais y aller avec lui. Toi, tu peux rester ici avec ta copine pour jouer aux poupées Barbie.

Il ne parvenait pas à lire l'expression de Lauren derrière sa visière, mais il avait la certitude que ses yeux lançaient des éclairs. Il tourna les talons et franchit la porte.

À l'instant même où il posait le pied sur le trottoir, il ressentit un choc extrêmement violent à la tempe gauche. Il tituba sur le côté. Un second projectile le frappa aux côtes. Il

44

vit une traînée jaunâtre dégouliner sur son gilet pare-balles et comprit qu'il venait d'être pris pour cible par un membre de l'équipe de Kyle.

Il avait été frappé par des centaines de billes de peinture depuis le début de sa carrière à CHERUB, mais la douleur engendrée par ces munitions simulées était indescriptible. Le souffle coupé, il s'effondra contre la façade du bâtiment. Par chance, la troisième balle frôla son épaule droite et éclata contre la porte du fast-food.

Alors, il remarqua les jumelles de l'équipe de Kyle à couvert derrière une voiture. Il épaula fébrilement son fusil.

— Pose ton flingue ! hurla l'une des filles en émergeant de sa cachette, son arme braquée dans sa direction. Et lance-nous ta boîte d'œufs.

James se refusait à capituler, mais ses deux adversaires se tenaient désormais à la limite réglementaire des trois mètres, et il n'était pas disposé à éprouver une nouvelle fois la puissance dévastatrice des munitions de Large.

Soudain, il aperçut un point rouge sur la cuisse de l'une des filles, puis la vit s'écrouler comme une poupée de chiffon. Il comprit aussitôt que Dana venait de le tirer d'affaire. L'instant suivant, Bethany donna un coup de pied dans la porte et fit feu sur la seconde jumelle. La balle manqua sa cible, mais la jeune fille se jeta à plat ventre sur la chaussée. James profita de la confusion pour la mettre en joue puis il écrasa la détente avec un profond plaisir. Sa victime roula sur le côté. Il lui tira dessus à deux reprises, dans le dos, à distance minimum.

— Jetez vos armes, ordonna-t-il. Et pas de geste brusque.

Étourdies par la douleur, elles s'exécutèrent avec des mouvements lents et fébriles. James s'approcha prudemment, ramassa les armes, retira les chargeurs, replia les crosses puis ôta les ressorts récupérateurs afin de neutraliser les AK-M.

— Vos sacs à dos, gronda-t-il.

Sa cage thoracique le faisait atrocement souffrir, et il n'était pas d'humeur à faire des sentiments. Il n'éprouvait aucune pitié à l'égard des deux filles qui se traînaient à ses pieds.

— Tu ne vas quand même pas nous tirer dessus à cette distance ? s'inquiéta l'une des jumelles, visiblement terrorisée, tandis qu'il s'emparait des sacs.

— T'as qu'à me faire un procès, répliqua James en menaçant son otage de la frapper avec la crosse de son arme. Pourquoi tu n'écris pas aux Nations unies ?

Il tendit les sacoches à Bethany. Cette dernière en sortit les boîtes de polystyrène contenant les œufs et les écrasa du talon. James ressentait une intense satisfaction : un tiers des œufs de l'équipe A venait d'être détruit, moins de vingt minutes après le début de l'exercice.

— Qu'est-ce qu'on fait d'elles, maintenant ? demanda Bethany avant d'essuyer avec mépris sa semelle dégoulinante de jaune d'œuf sur l'uniforme de l'une des jumelles. Elles ont découvert notre position, et on n'a pas le droit de prendre des otages. Il va falloir qu'on change de secteur.

À ce moment précis, James vit un petit cylindre de métal rouler dans le caniveau.

— Grenade aveuglante ! hurla-t-il une fraction de seconde avant qu'un éclair ne déchire l'obscurité.

Totalement ébloui, il marcha au hasard sur la route goudronnée.

— Tu as des problèmes de vue, Adams ? fit une voix.

— Kyle, c'est toi, espèce d'enfoiré ? demanda James.

Une seconde grenade fendit les airs et explosa à l'intérieur du fast-food. Lauren poussa un hurlement puis sortit du bâtiment en titubant, Jake sur ses talons.

De son poste d'observation, Dana aperçut Kyle Blueman, embusqué derrière un véhicule. Elle visa, bloqua sa respiration et enfonça la détente. Le projectile atteignit le garçon au cou, à l'endroit le plus vulnérable de son uniforme, entre le protège-nuque du casque et le col de la tenue pare-balles.

Au moment précis où son camarade roulait sur le sol, James ressentit une douleur atroce au niveau des reins. Il passa une main dans son dos et la retira couverte de peinture bleue. Il se retourna, plissa les yeux et distingua les cinq membres de l'équipe de Kerry qui se rapprochaient lentement en formation de combat. Paniqué à l'idée de servir une nouvelle fois de cible, il abdiqua tout sens du commandement, s'engouffra dans la première ruelle venue et prit ses jambes à son cou.

Il sprinta sur quelques centaines de mètres et atteignit l'autre extrémité du terrain d'exercice. Il s'accroupit sous une fenêtre, tira deux rafales en aveugle à l'intérieur du bâtiment puis, constatant qu'il n'essuyait pas de riposte, enjamba l'allège et se laissa tomber sur le sol de béton.

Au loin, la bataille faisait rage. Les armes automatiques crépitaient. Des volutes de fumée s'élevaient dans le ciel orange. Dans une demi-heure, il ferait noir comme dans un tunnel.

James avait été touché à trois reprises. La première balle avait ricoché sur son casque ; la seconde l'avait frappé à l'estomac ; la troisième l'avait atteint dans le dos, occasionnant une douleur vive qui rayonnait dans sa jambe droite. Il s'effondra contre un mur. Il était soulagé de se trouver à l'abri, mais ses responsabilités de chef d'équipe exigeaient qu'il reprenne au plus vite son souffle et ses esprits. Il devait absolument réunir son équipe avant la tombée de la nuit.

Au mépris des règles édictées par Large, il se tourna contre le mur, souleva sa visière et essuya la sueur qui ruisselait sur son visage. Il remarqua une boîte métallique posée dans un coin de la pièce. Il se redressa maladroitement, en ôta le couvercle et y trouva douze chargeurs. Chaque agent n'en avait reçu que deux au début de l'exercice. Il avait presque vidé l'un des siens. Il prit alors conscience de l'avantage que lui offrait ce stock providentiel. Il engagea un chargeur dans son fusil et glissa le reste des munitions dans son sac à dos.

Il s'avança prudemment de la fenêtre et tendit l'oreille. Les combattants semblaient s'être éparpillés, et des affrontements se déroulaient aux quatre coins du terrain d'entraînement. James réalisa que cette situation augmentait considérablement ses chances de se trouver exposé au feu ennemi lorsqu'il se mettrait à la recherche de ses coéquipiers.

Il se glissa hors de l'immeuble puis progressa, les genoux fléchis, entre la file de véhicules garés le long du trottoir et le mur de béton maculé de taches de peinture. Il atteignit un croisement, posa l'index sur la détente de son arme et s'apprêta à traverser la rue au pas de course.

— Miaow.

James se mit à l'abri entre deux véhicules. Il ne parvenait pas à déterminer la provenance du miaulement.

— Wouf ! répondit-il.

Les têtes casquées de Jake et de Dana apparurent à l'intérieur d'une voiture toute proche.

— Ramène ta fraise, le comique, chuchota Dana. Des membres de l'équipe A sont planqués dans ce bâtiment, à trois portes d'ici.

James entrouvrit une portière et se glissa sur la banquette arrière constellée de taches multicolores. Il remarqua que la combinaison de Dana portait une vingtaine de traces d'impact.

— Dis donc, qu'est-ce que tu t'es fait allumer ! dit-il. Ça fait mal ?

— Je m'en sors bien, les tireurs m'ont flinguée à distance. Le plus emmerdant dans tout ça, c'est que tous mes œufs sont cassés.

— Qui t'as faite prisonnière ?

— Personne. Je les ai bousillés moi-même en me roulant sur le sol pour échapper aux snipers.

— Moi, c'est pareil, il ne m'en reste plus qu'un. Alors, comment vous êtes arrivés ici ?

48

— J'ai essayé de te filer le train quand j'ai vu que tu te débinais comme une lavette. J'ai sauté du premier étage et j'ai ramassé Jake en chemin.

— Je me suis pas débiné, protesta James, indigné. J'ai opéré un repli stratégique pour me soustraire au feu ennemi, nuance.

Dana éclata de rire.

— C'est une façon de voir les choses…

James, conscient qu'il lui serait difficile de persuader sa coéquipière qu'il s'était conduit en héros, se pencha vers Jake et lança sur un ton enthousiaste :

— Et toi, bonhomme, comment tu t'en es sorti ?

— Pas trop mal, répondit Jake, rayonnant. J'ai fait un vrai carton.

— Ce gosse a des nerfs d'acier, ajouta Dana en esquissant un sourire. Il a le sens du terrain et c'est un vrai tireur d'élite.

James considéra le petit garçon avec admiration.

— Tu as été touché ?

Jake se tourna sur le côté pour exhiber avec fierté une large tache de peinture violette sur sa cuisse.

— Ça fait mal, mais je m'en fous. C'est mille fois plus excitant que le meilleur jeu vidéo de tous les temps.

James était extrêmement satisfait de la façon dont Jake était parvenu à contrôler sa peur. Une fois de plus, le processus de sélection de CHERUB avait fait mouche.

— Alors, tu penses encore que tu aurais dû abandonner ? demanda-t-il.

— Tu rigoles ? dit Jake. Allez, retournons dégommer les œufs de ces minables.

— Vous savez où se trouvent Lauren et Bethany ?

— Je les ai vues se tirer, mais je les ai perdues de vue, expliqua Dana.

— Tu crois qu'on devrait partir à leur recherche ?

— C'est trop risqué. Il y a quinze autres enragés lâchés dans les parages. Si on tombe sur les filles, tant mieux, mais ça ne doit pas être notre objectif principal.

— Je suis d'accord.

— Alors, comment tu vois les choses ?

James s'accorda quelques secondes de réflexion.

— J'ai des munitions plein mon sac et plusieurs paires de lunettes de vision nocturne. On va se planquer dans l'un de ces bâtiments et attendre qu'il fasse nuit. Ensuite, on pourra partir à la chasse aux œufs.

— Ça roule, ma poule, lança Dana.

7. À deux doigts du sans-faute

C'était une nuit sans lune. L'éclairage de l'autoroute qui longeait le mur de clôture du terrain jetait une lueur jaunâtre sur les parois de béton.

Dana, James et Jake avaient fixé les lunettes de vision nocturne aux attaches spéciales de leurs casques. Le logiciel embarqué amplifiait le moindre rayon de lumière et restituait une image verdâtre en trois dimensions, avec un retard d'une fraction de seconde. Cet infime décalage produisait chez certains utilisateurs de violentes nausées.

Ils progressèrent prudemment jusqu'au bâtiment où Dana et Jake avaient repéré l'équipe A, quarante minutes plus tôt. Ils n'y trouvèrent qu'une boîte d'équipement vide et une flaque fétide, là où les garçons s'étaient soulagés.

— Et maintenant ? chuchota Jake.

Une grenade aveuglante explosa à quelques dizaines de mètres, illuminant l'intérieur de la pièce. Les capteurs des lunettes s'affolèrent. L'espace d'une seconde, les trois agents ne virent qu'une tache claire au centre de leur champ de vision.

James gardait confiance en sa stratégie basée sur la supériorité offerte par le dispositif de vision nocturne.

— La chasse continue, lança-t-il.

Ils avancèrent en silence, par bonds successifs, adossés aux murs de béton. Soudain, en passant devant une fenêtre, James remarqua deux silhouettes verdâtres à l'intérieur du bâtiment.

Il poursuivit sa progression jusqu'au croisement suivant avant de s'adresser à voix basse à ses coéquipiers.

— J'ai repéré des mouvements dans cet immeuble, à trente mètres derrière nous. Il y a au moins deux ennemis qui se planquent là-dedans.

— Tu es sûr que c'étaient pas des animaux errants ? demanda Dana.

James secoua la tête.

— Certain. Je veux que tu escalades le mur du jardin et que tu passes par l'arrière. Je vais lancer l'attaque et tu les allumeras quand ils essaieront de s'échapper. Jake, tu restes ici. Règle ton fusil sur tir automatique et prépare-toi à nous couvrir si les choses tournent mal.

— À vos ordres, *chef* ! s'exclama Jake.

— Fais moins de bruit, crétin !

James rampa jusqu'à la fenêtre et leva prudemment la tête pour jeter un coup d'œil à l'intérieur.

Il distingua deux silhouettes immobiles assises contre un mur. Compte tenu de leur petite taille, il estima qu'il devait avoir affaire à des filles. Réalisant qu'il pouvait s'agir de Lauren et Bethany, il baissa la tête et lança le signal de reconnaissance.

— Miaow.

Cette tactique le contraignait à renoncer à tout effet de surprise, mais il ne pouvait pas prendre le risque de faire feu sur ses coéquipières. Il vit les deux combattantes se saisir fébrilement de leur arme.

— Miaow, fit l'une d'elle.

Désormais convaincu qu'il se trouvait en présence d'adversaires, il se dressa d'un bond et fit feu sur l'une des cibles, lui arrachant une plainte déchirante. Il se mit à couvert et laissa l'autre fille lâcher trois tirs à l'aveuglette. Il se dressa de nouveau, prit le temps de l'ajuster et la toucha à deux reprises.

À ce moment précis, Dana fit irruption dans la pièce.

— Filez-moi vos œufs et vos ressorts récupérateurs, ordonna James en enjambant le rebord de la fenêtre.

— Va te faire foutre, répliqua Kerry avant d'appuyer sur la détente et d'arroser la pièce au hasard.

Les deux agents de l'équipe D se jetèrent à plat ventre, mais le percuteur émit un claquement sec.

— Oh ! *ma pauvre chérie*, ricana James, on dirait que tu es à court de munitions.

— J'en ai d'autres.

— Alors pourquoi tu restes assise, sans bouger, au lieu de recharger ?

— Tu veux dire que... tu me vois ?

— Ouais, je ne rate rien du spectacle. Les lunettes de vision nocturne, tu connais ?

— Espèce de sale tricheur...

— Oh, mais qui voilà ? Gabrielle ! Je t'avais pas reconnue. Ça va, je ne t'ai pas fait trop mal ?

— Bof, c'est rien à côté de la balle que je t'ai logée dans le dos tout à l'heure, gronda la jeune fille.

— James, dit Dana, les autres ont dû entendre les tirs. Il faut qu'on se casse d'ici vite fait.

— Ah, mais cette chère Dana est parmi nous, grinça Kerry. Je me disais aussi... Comment ce nul de James a-t-il pu nous éliminer aussi facilement ?

— Tu m'étonnes, approuva Gabrielle. Tout le monde l'a vu laisser tomber son équipe au milieu de la fusillade.

James était exaspéré.

— J'ai un flingue pointé sur vous ! s'exclama-t-il. Fermez-la, posez vos armes et filez-nous vos sacs.

— Pourquoi tu ne viens pas les chercher ? lança Kerry d'une voix moqueuse.

James tira dans le mur, à quelques centimètres de la tête de son adversaire.

— Parce que ce chargeur est bourré de munitions et que je

vous vois comme en plein jour. Maintenant, je vais compter jusqu'à trois, et si vous n'avez pas obéi à mes ordres, je vous jure que vous allez le regretter. Un, deux…

À l'idée d'essuyer de nouveaux tirs, Kerry et Gabrielle sentirent leur résolution fléchir. Elles poussèrent leur sac du pied avant que James n'ait achevé son décompte. Il s'accroupit, sortit les boîtes de polystyrène et y découvrit douze œufs intacts.

— Quel dommage, soupira-t-il avant de les détruire en deux coups de talon. Vous étiez à deux doigts du sans-faute.

— Tu t'en tireras pas comme ça, cracha Kerry. J'ai plus rien à perdre maintenant. Je vais te coller au cul jusqu'à demain matin.

— Je suppose qu'on est quittes, alors. Vous vous souvenez de l'été dernier, quand vous nous avez flingués à bout portant, Bruce et moi ?

Une voix haut perchée se fit entendre de l'extérieur du bâtiment.

— Je vois quatre silhouettes qui progressent dans notre direction, murmura Jake. Si on se tire pas immédiatement, ça va être la troisième guerre mondiale.

— On bouge, dit Dana.

James réalisa qu'il n'avait pas le temps d'ôter le ressort récupérateur des armes de ses rivales et qu'il ne pouvait pas s'encombrer de deux AK-M supplémentaires pendant le reste de l'exercice. Il saisit le fusil de Kerry par le canon et le frappa de toutes ses forces contre le mur. Au même instant, une grenade explosa dans un bâtiment tout proche. La jeune fille profita de la soudaine clarté pour se jeter sur lui. Elle était petite et légère, mais sa maîtrise des arts martiaux et l'entraînement reçu à CHERUB depuis cinq ans avaient fait d'elle une adversaire redoutable. Les deux combattants roulèrent sur le béton. Dana épaula son arme mais, craignant de toucher son coéquipier, resta indécise, le doigt posé sur la détente.

— Prends Jake et tire-toi de là, lui ordonna James.

Seuls les œufs comptaient à ses yeux. Il n'en possédait plus qu'un, mais Jake n'avait subi aucune perte. Il était prêt à se sacrifier pour lui permettre de se mettre à l'abri, quitte à se retrouver seul aux prises avec les deux filles.

Il vit Dana sauter par la fenêtre et s'enfuir en compagnie de Jake. Kerry le retourna sur le ventre et l'immobilisa en posant les genoux sur ses épaules. Gabrielle lui confisqua son arme, puis il sentit qu'on cognait violemment son casque sur le sol. Les lunettes de vision nocturne cessèrent aussitôt de fonctionner. Plongé dans une soudaine obscurité, il entendit des coups de feu claquer dans la rue. Gabrielle écrasa son dernier œuf.

— Tu te croyais très malin, pas vrai ? chuchota Kerry à son oreille. Je te l'ai pourtant répété cent fois : ne quitte jamais l'ennemi des yeux. Même pas une seconde.

Sur ces mots, elle lui tordit violemment le bras.

— Ça te dirait que je te le casse, James ?

— Kerry, tu as eu mon dernier œuf. Tu dois me laisser partir.

— Pourquoi tu n'écris pas une lettre aux Nations unies ?

Elle lâcha son bras puis planta la pointe du coude dans son dos, à l'endroit précis où il avait été touché. La douleur était insoutenable.

— Son sac est bourré de munitions ! s'exclama Gabrielle.

— Excellent, dit Kerry avant de s'emparer du fusil de sa victime et d'y engager un chargeur. Tirons-nous par-derrière et essayons de retrouver les deux autres.

Sur ces mots, elle se dressa d'un bond puis s'engouffra dans le couloir menant au jardin. James resta immobile, face contre terre, impatient de voir ses adversaires quitter le bâtiment. Mais avant de sortir de la pièce, Gabrielle lui fit subir une ultime humiliation : elle lui tira deux balles dans la cuisse avec son propre fusil d'assaut.

⁖

Lorsqu'il reprit conscience, James distingua la lumière du jour qui filtrait par les interstices de ses lunettes brisées. Il roula lentement sur le côté puis essaya de retirer le dispositif. Les attaches de plastique qui les maintenaient en place s'étaient tordues lorsque Kerry lui avait frappé la tête contre le sol, et il dut se résoudre à arracher l'appareillage. Il constata qu'un filet de salive avait coulé à l'intérieur de sa visière.

Lorsque ses yeux se furent accoutumés à la clarté, il consulta sa montre. Il était six heures moins le quart. Il avait perdu conscience pendant près de quatre heures. Il ne se souvenait pas clairement de ce qui s'était passé, mais il supposa que la douleur et l'épuisement avaient eu raison de lui. Nul ne s'endort de son plein gré au beau milieu d'un exercice de combat, dopé par l'adrénaline et le cœur battant à cent quatre-vingts pulsations minute.

Il rampa jusqu'au mur le plus proche, s'y adossa puis étudia les taches dont sa combinaison était maculée. Il était désorienté et assoiffé, mais sa gourde se trouvait dans le sac que Gabrielle lui avait dérobé. Il jeta un œil à l'extérieur et constata que les murs et la chaussée étaient constellés de traînées de peinture fraîche.

Conscient qu'il était suicidaire de se lancer à la recherche de ses coéquipiers sans arme ni munitions, il décida de demeurer où il se trouvait jusqu'à la fin de l'exercice, en priant pour qu'aucun adversaire ne le débusque. Il consulta de nouveau sa montre et ne pensa plus qu'aux litres d'eau fraîche qu'il se promettait d'engloutir cent trente-deux minutes plus tard.

8. Mutinerie

Les dernières heures de l'exercice se déroulèrent dans un calme relatif. Seuls quelques tirs sporadiques venaient troubler le chant matinal des oiseaux. James soupçonnait la plupart des agents d'être à court d'œufs, de munitions et d'énergie.

Pour passer le temps, il examina le fusil de Kerry. La crosse avait été endommagée par le choc contre le mur, mais un léger nettoyage et quelques réglages à l'aide de l'outil multi-usages fourni avec l'arme auraient suffi à le remettre en état de marche. Le seul hic, c'est qu'il ne possédait plus la moindre munition.

Il effectua quelques étirements, se massa le dos tant bien que mal, puis effectua une brève sortie pour uriner près de l'entrée. Au bout d'une heure, l'ennui prenant le dessus, il décida d'explorer la zone. Il visita le bâtiment de fond en comble mais ne trouva que deux chargeurs vides abandonnés sur le sol.

Il gagna le jardin, à l'arrière, et essaya d'enjamber le muret donnant sur la ruelle. À peine eut-il soulevé la jambe qu'il fut pris de vertige et ressentit une violente nausée. Il s'étendit dans l'herbe et souleva sa visière de quelques centimètres pour respirer un peu d'air frais.

Au regard des critères d'exigence de CHERUB, cet exercice n'avait rien d'insurmontable. Pourtant, James se sentait anéanti, ce qui n'avait rien de très rassurant. À sept heures trente, il aperçut Lauren et Bethany qui progressaient dans l'allée.

— Miaow, lança-t-il.

— Wouf, répondit Lauren.

Malgré l'état déplorable dans lequel il se trouvait et la honte qu'il éprouvait à l'idée de devoir reconnaître sa piètre performance, il était heureux de retrouver ses coéquipières. Elles affichaient un air confiant. Tandis qu'elles se hissaient par-dessus le muret, il dénombra les taches sur leurs uniformes. Tout comme lui, chacune d'elle avait été touchée à six ou sept reprises.

— Qu'est-ce qui ne va pas ? demanda Lauren. Qu'est-ce que tu fous allongé par terre ?

— J'ai commencé l'exercice complètement crevé, j'ai reçu une balle dans les reins et Kerry m'a torturé au même endroit avec son coude. C'est atroce.

Bethany éclata de rire.

— C'est l'amour vache, dit-elle.

— J'ai paumé ma gourde. Il vous reste un peu d'eau ?

Lauren ôta son sac à dos et lui tendit une gourde de métal équipée d'un long tuyau en plastique.

— On a fait le plein à une bouche d'incendie.

James attrapa le récipient et commença à se désaltérer.

— Bois pas tout, égoïste, protesta sa sœur avant de lui arracher la gourde.

— Il vous reste des œufs ?

— J'en ai deux, dit Lauren, et Bethany en a quatre. Et toi ?

James observa un silence embarrassé.

— Vous avez vu Jake et Dana ?

— On les a croisés vers quatre heures. Kerry et Gabrielle leur filaient le train, apparemment.

— Ils allaient bien ?

— Dana était aussi désagréable que d'habitude, lança Bethany. Par contre, j'ai l'impression que mon cinglé de frère s'est découvert une passion pour la guerre civile.

James hocha la tête.

— Je peux pas en dire autant. C'est l'horreur, ces nouvelles munitions.

— C'est tout l'intérêt de l'exercice, dit Lauren. C'est ce qu'on peut imaginer de plus proche d'une situation réelle. Bonjour la trouille et la fatigue. C'est fini, les gentilles parties de paint-ball.

— J'espère simplement que notre équipe ne finira pas dernière. Je ne pense pas pouvoir survivre à une douche froide suivie de dix kilomètres de course commando.

.•.

La sirène annonçant la fin de l'exercice retentit à huit heures précises. Aussitôt, James, Lauren et Bethany se mirent en route vers la place centrale où les agents avaient reçu l'ordre de se réunir. Ils relevèrent leurs manches, baissèrent la fermeture Éclair de leur combinaison puis soulevèrent leur visière pour respirer l'air frais du matin.

— Je vais crever de soif, gémit Bethany,

— Tu m'étonnes, dit James.

— Tu oses te plaindre alors que tu as descendu presque toute ma flotte ? s'indigna Lauren.

— Vous savez quoi ? J'ai tellement soif que je pourrais boire n'importe quoi.

Sur ces mots, il ôta son T-shirt trempé, le tint au-dessus de sa tête, ouvrit la bouche et l'essora. Un filet de sueur dégoulina sur son visage et sur sa langue. Bethany se figea, épouvantée.

— James, arrête ça *immédiatement*, gronda Lauren. C'est le truc le plus immonde que j'aie jamais vu.

— T'en veux une petite goutte ? gloussa le garçon en lançant le T-shirt à sa sœur.

Lauren fit un pas de côté, et la boule de tissu détrempé atterrit dans le caniveau.

— T'es vraiment un porc, comme mec ! hurla-t-elle. Retourne vivre dans ton égout !

Hilare, James se baissa pour ramasser le vêtement.

— Wow, tu verrais l'hématome que t'as dans le dos ! s'exclama Bethany.

— Je pense que je suis pas le seul à avoir dégusté, dit-il d'un ton détaché.

Ils atteignirent le point de ralliement. Sept agents étaient rassemblés devant une table pliante où avaient été déposés des litres d'eau minérale. James bouscula deux T-shirts rouges et s'empara de deux bouteilles. Il but la moitié de l'une d'elles et vida le reste sur sa tête.

Kerry vint à sa rencontre, pieds nus et sans combinaison. Ses longs cheveux noirs étaient trempés et son visage ruisselait de sueur. Elle lui adressa un regard embarrassé.

— Tu m'en veux pas trop ?

James esquissa un sourire puis déposa un baiser sur ses lèvres.

— Bien sûr que non.

— Tu es au courant pour Kyle ?

— Non, qu'est-ce qu'il a ?

— Il a reçu une balle dans le cou. Il a été évacué vers l'hôpital.

— Quelle saloperie, ces munitions. T'as vu mon dos ?

— On dirait mon ventre, dit Kerry en soulevant son T-shirt pour exhiber son abdomen maculé d'hématomes.

— La vache, t'en as aussi plein les jambes.

— Alors, combien il vous reste d'œufs ? demanda Lauren à Kerry.

— Mon équipe est au complet, et on n'en a que cinq, lâcha-t-elle sur un ton sinistre.

— Pas de bol pour vous. Moi, j'en ai deux, Bethany quatre, et Jake et Dana ne sont pas encore arrivés.

— À votre place, je ne compterais pas trop sur eux, dit

Kerry avec un sourire mauvais. On s'est bien occupées d'eux, Gabrielle et moi.

— On s'en fout, lâcha James. Pour le moment, vous êtes derniers. Tu n'as plus qu'à espérer que les deux autres équipes aient moins de cinq œufs.

— Kyle et ses agents en ont au moins huit, fit observer Lauren.

Kerry semblait extrêmement préoccupée.

— Moi, je peux encore courir dix kilomètres, mais notre T-shirt rouge ne tiendra jamais le coup.

— C'est moche, dit James.

— C'est ça, prends-moi pour une débile, gronda-t-elle avant de rejoindre Gabrielle, à dix mètres de là, pour une réunion de crise improvisée.

— Eh, tu ne me reproches pas d'avoir cassé tes œufs, quand même ? lança-t-il, indigné.

— T'inquiète pas, le rassura Lauren. Tu connais son caractère. Ça lui passera.

— Je risque de ne pas avoir le droit de fourrer ma langue dans sa bouche pendant quelques jours, mais au moins, on est sûrs d'échapper aux dix kilomètres de course commando.

Lauren recula de deux pas, l'air dégoûté.

— James, je ne veux pas savoir ce que tu fais de ta grosse langue visqueuse. Pigé ?

D'autres agents, dont Jake et Dana, avaient rejoint le point de rassemblement, mais l'arrivée de l'équipe B au grand complet suscita la stupeur générale. Leurs tenues étaient immaculées. Ils tenaient leurs casques sous le bras, comme des astronautes de la NASA s'apprêtant à monter à bord de la navette spatiale.

— Leurs uniformes ne sont même pas froissés, s'étrangla James.

— Je n'ai pas vu un seul d'entre eux au cours de la nuit. Ils ont dû rester planqués pendant qu'on s'entretuait.

— Regarde comme ils ont l'air contents d'eux-mêmes... Je te parie qu'ils n'ont pas perdu un seul œuf.

...

Quelques minutes plus tard, Large, Pike et Greaves déboulèrent sur la place à bord de deux Land Rover. L'instructeur en chef ordonna aux agents de se réunir par équipes et commença à inspecter chaque œuf à la recherche de la moindre craquelure.

Malgré l'absence de Kyle, l'équipe A réalisa un score de huit.

L'équipe B reçut les félicitations de Mr Large.

— Vingt-neuf sur trente, et encore, vous manquez le sans-faute à cause d'une minuscule fissure. Je dois reconnaître que vous m'impressionnez, les nains.

Clara Ward, la chef d'équipe, sourit jusqu'aux oreilles. C'était une jeune fille de quinze ans, à la tenue et au comportement impeccables, qui mettait un point d'honneur à rendre ses devoirs dans les délais et multipliait les prouesses en mathématiques. James, qui suivait les cours de sciences en sa compagnie, la détestait de tout son cœur.

— Merci beaucoup, monsieur, dit Clara en adressant à l'instructeur un salut militaire.

James manqua de s'étrangler.

— Quelle lèche-bottes, souffla-t-il à Lauren. On ne salue pas, à CHERUB.

— Elle se croit où, celle-là ? À l'armée ?

— Comment avez-vous réalisé ce prodige ? demanda Mr Large.

— Il y a quelques jours, j'ai reconnu le terrain à vélo, monsieur. J'ai remarqué deux bâtiments faciles à défendre au nord-est, près du lac. Nous avons investi la position dès le début de l'exercice puis nous avons formé un barrage de voitures dans l'unique voie d'accès. À l'exception de quelques coups de feu échangés avec deux membres de l'équipe D, nous n'avons pas été attaqués.

— Excellent travail, dit Mr Large avant de se tourner vers les membres de l'équipe C.

— Mon Dieu, mon Dieu, soupira-t-il en considérant les cinq œufs que Kerry avait rassemblés dans une boîte en polystyrène. Quel résultat affligeant. Même dans l'hypothèse fort improbable où l'équipe D aurait fait pire, je vais être obligé de rédiger un rapport extrêmement défavorable sur tes capacités de commandement, ma petite Kerry.

Le visage de la jeune fille se décomposa. James essaya de lui adresser un sourire compatissant, mais il ne parvint pas à croiser son regard.

— Passons à présent à la famille Adams, dit Large.

Très satisfait de sa blague, il lâcha un petit rire forcé.

— Six, monsieur, annonça James en exhibant une boîte pleine, le cœur battant à tout rompre.

— À qui appartient ceci ? demanda Large en soulevant l'un des œufs.

Saisie d'épouvante, Lauren fit un pas en avant.

— À moi, monsieur.

— Je vois pourtant *Lauren Adams* marqué sur la coquille.

— C'est mon nom, monsieur.

— Faux. Il me semblait pourtant t'avoir informée que ton nom était désormais Sous-Merde. Les œufs de cette Lauren Adams ne peuvent pas être pris en compte. Quatre pour l'équipe D. Vous finissez *derniers*.

James, Dana, Bethany et Lauren étaient habitués aux manœuvres sadiques de Mr Large, mais Jake, qui n'avait pas encore participé au programme d'entraînement initial, ignorait qu'il valait mieux encaisser ces vexations en silence, sous peine de voir les choses s'envenimer. Il jeta violemment son casque sur le sol.

— C'est carrément de l'arnaque ! cria-t-il, ivre de rage. Je refuse de courir dix kilomètres !

Mr Large saisit Jake par le col du T-shirt, le souleva du sol et lui hurla au visage :

— TU CONTESTES MES DÉCISIONS, JAKE PARKER ?

Le petit garçon sembla tout à coup si terrorisé que James craignit qu'il ne perde connaissance ou mouille son pantalon.

— Peux-tu me rappeler quand commence ton programme d'entraînement ? gronda Large.

— L'année prochaine, monsieur.

— Dans moins de dix mois, pour être plus précis. Est-ce que tu crois que le moment est bien choisi pour devenir mon ennemi ?

— Non, monsieur.

— C'est moi qui définis les règles, ici ! beugla l'instructeur avant de laisser tomber sa victime. Tâchez de ne pas l'oublier, et ceci est valable pour vous tous. Équipe D, préparez-vous pour la course commando.

— Allez, Norman, dit alors Mr Pike, à la surprise générale. Comment veux-tu que ces gamins restent motivés si tu choisis l'équipe perdante avant le début de l'exercice ?

James était sous le choc. C'était la première fois qu'il voyait un adjoint remettre en cause l'autorité de Large. Ce dernier se tourna vers son collègue.

— Mr Pike, lorsque *vous* aurez été nommé instructeur en chef, *vous* pourrez compter les œufs.

Encouragé par l'intervention de l'adjoint, James fit un pas en avant et lança :

— Il a raison. Je ne courrai pas tant que je n'aurai pas parlé au directeur. Vous ne pouvez pas continuer à traiter Lauren de cette façon. Elle a déjà été punie pour la faute qu'elle a commise.

Il ne parvenait pas à croire qu'il venait de défier l'instructeur le plus craint de CHERUB.

— Je t'ai donné un ordre, Adams ! hurla Large.

— J'ai entendu, et j'y obéirai dès que le directeur l'aura confirmé, répliqua James d'une voix parfaitement calme.

Dana sortit des rangs et se planta à ses côtés.

— Je suis avec toi, dit-elle. Allons voir le directeur et déposons une plainte officielle pour protester contre la façon dont Lauren est traitée.

Lauren et Bethany hochèrent lentement la tête, puis une rumeur approbatrice parcourut la foule des élèves.

— Si vous faites ça, vous serez tous punis, menaça Large.

James haussa les épaules.

— Punis ? Vous pouvez être plus clair ? J'ai déjà passé le programme d'entraînement initial et *vous* n'avez pas le pouvoir de me suspendre de mission opérationnelle.

— Laisse tomber, Norman, murmura Pike à l'oreille de son supérieur. Ils te tiennent, cette fois.

Ulcéré, Large se tourna vers Kerry.

— Très bien, soupira-t-il. Équipe C, dix kilomètres. Prenez vos sacs.

— Merci de m'avoir soutenu, dit James à Dana.

— Il ne s'en tirera pas si facilement. Je vais quand même demander à être reçue par le directeur. Je sais que l'instruction exige une certaine fermeté, mais la façon dont il se défoule sur Lauren est absolument inacceptable.

Cette dernière leva les yeux vers son ange gardien.

— Excuse-moi de t'avoir appelée Cheddar, murmura-t-elle. Je te jure que ça ne se reproduira plus.

9. Rupture

James dormit jusqu'à deux heures de l'après-midi. Impatient de prendre des nouvelles de Kerry, il enfila les premiers vêtements qui lui tombaient sous la main et se précipita dans le couloir. Lorsqu'il entendit la télévision brailler à l'intérieur de la chambre de son amie, il entrouvrit la porte et passa la tête.

— Salut ! s'exclama-t-il. Comment ça s'est passé, cette course commando ?

Kerry, vêtue d'une chemise de nuit, était assise sur le lit. Elle enfonça la touche *pause* du lecteur de DVD et haussa les épaules.

— Oh, formidable. Votre petite révolution a mis Large d'excellente humeur, comme tu peux l'imaginer.

— Dana et moi, on est allés voir le directeur pour lui parler de la façon dont il traite Lauren. Il nous a dit qu'il allait le convoquer en compagnie de Pike, histoire de déterminer ce qui s'est vraiment passé.

— J'ai entendu dire que Large avait intérêt à se calmer. Il a déjà reçu plusieurs avertissements.

— T'imagines s'il se faisait virer ? Ça serait le plus beau jour de ma vie.

— Il pourrait sans doute retrouver du boulot comme agent de sécurité ou videur dans une boîte de nuit.

— Je me fous royalement de ce qui peut lui arriver, du moment qu'il dégage de ma vie.

Sur ces mots, James sortit de la poche arrière de son pantalon une feuille de papier bleu pliée en quatre et se laissa tomber sur le lit.

— Vise un peu ça, gloussa-t-il.

Kerry brandit un poing serré.

— Vire tes rangers de mon pieu, gronda-t-elle. Combien de fois je vais devoir te le répéter ?

James roula sur le dos et retira ses chaussures tandis que Kerry lisait le document à haute voix.

— *James Adams est dispensé de toute activité physique pour cause de déshydratation et d'épuisement physique général...* Comment t'as fait pour obtenir ça, espèce de sale truand ?

— J'ai même pas eu besoin de tricher. Je suis allé au bloc médical pour faire désinfecter ma blessure au dos. Je lui ai dit que je m'étais senti mal pendant l'exercice. Elle m'a examiné, et elle pense que je ne me suis pas remis de la gastro de la semaine dernière.

Kerry secoua la tête.

— Je suis certaine que tu as simulé.

— Nan, elle m'a recommandé plein de câlins pour m'aider à récupérer.

— Oh, bien sûr, James. Seulement, vu ton état, j'aurais peur d'attraper tes microbes.

Il se pencha pour déposer un baiser sur son poignet.

— Elles sont trop mignonnes, tes mains, dit-il.

Kerry esquissa un sourire, se déroba et lui adressa une petite claque.

— Qu'est-ce que tu cherches, James Adams ?

— Ben, vu qu'il faisait super beau, je pensais qu'on aurait pu préparer un pique-nique et monter au lac pour se baigner et buller au soleil. Il y a personne là-haut, aux heures de cours.

— Ça va bientôt être l'heure de mon épisode de *Friends*.

James posa sur l'écran de télévision un regard méprisant.

— Oh, tu me soûles avec tes feuilletons débiles. Je ne

comprends même pas comment tu peux regarder ça tous les jours.

— Ouais, ben moi, j'adore, OK ? Alors soit tu me laisses regarder, soit tu te casses.

— OK, mais ensuite on va se balader, d'accord ?

Kerry secoua la tête.

— Y a un deuxième épisode juste après.

— Nom de Dieu, qu'est-ce que tu peux être chiante, des fois !

— Tu as une tonne de devoirs en retard, lança sèchement la jeune fille. Pourquoi tu n'en profites pas pour te mettre à jour, au lieu de me pourrir la vie ?

— Très bien, je me barre, puisque c'est comme ça, dit James avant de sauter du lit. Je pensais que ça aurait pu être cool de passer un peu de temps ensemble.

— Arrête ton char. Je sais très bien ce que tu as en tête. Tu te fous pas mal du pique-nique et de la baignade. Tout ce que tu veux, c'est passer l'après-midi à essayer de me peloter.

— Je te rappelle que tu es censée être ma copine. Je t'ai attendue sagement pendant six mois, quand tu étais au Japon. Depuis que tu es revenue, tu ne veux jamais *rien* faire avec moi. Je ne sais même pas pourquoi on est ensemble.

Kerry se dressa d'un bond et lui jeta un regard venimeux.

— Tu sais quoi, James ? C'est la chose la plus intelligente que tu aies dite de la journée. C'est vrai ça : pourquoi on est ensemble ? J'en ai marre de t'entendre te plaindre à propos du travail scolaire ; marre de t'aider à faire tes devoirs à la dernière minute ; marre de te prêter du fric quand tu es fauché ; marre de pas pouvoir me reposer tranquillement ou traîner avec mes copines parce que tu es toujours dans mes pattes. En fait, j'en ai marre de toi.

— Eh, t'es en train de me larguer ou quoi ? demanda James, hébété.

— Voilà, t'as tout compris : je te largue. Maintenant, sois gentil, tire-toi et laisse-moi respirer.

— Mais…

Kerry bondit du lit et ouvrit la porte.

— Dehors.

— Déconne pas. Tu crois pas que tu t'emballes un peu, là ?

— *De-hors* ! cria-t-elle.

Les yeux de Kerry lançaient des éclairs. Sachant mieux que quiconque de quoi elle était capable lorsqu'elle s'abandonnait à la colère, James baissa la tête et quitta la chambre sans ajouter un mot. La porte claqua violemment derrière lui.

Dans le couloir, il tomba nez à nez avec Andy Lagan, un T-shirt bleu de onze ans qui se préparait à participer au programme d'entraînement initial.

— Tu sais quoi, petit ? lui lança-t-il. Les filles sont des malades mentales.

Tandis que le garçon le considérait d'un air perplexe, Kerry ouvrit la porte et hurla :

— Et débarrasse-moi de tes rangers puantes !

Une botte militaire percuta le mur, à quelques centimètres de la tête de James. La seconde l'atteignit à la tempe. Il pivota sur les talons pour adresser à son ancienne petite amie une bordée d'insultes, mais elle avait déjà refermé la porte et poussé le verrou.

— Tu sais quoi, espèce de cinglée ? Je suis bien mieux sans toi. Grosse vache hystérique !

Alors, il surprit l'ombre d'un sourire sur le visage d'Andy.

— Ça te fait marrer ?

— Non, répondit le garçon en s'efforçant d'afficher une expression parfaitement neutre.

James le saisit par les épaules et le poussa brutalement contre le mur.

— Si, je vois bien que tu te fous de ma gueule.

— Excuse-moi, murmura Andy, la tête basse. C'est juste que… je n'ai pas pu m'empêcher de rigoler quand elle t'a jeté cette ranger au visage.

Ivre de colère et de frustration, James le gifla violemment, l'envoyant rouler sur la moquette.

— Tu rigoles moins, hein, petit con ? hurla-t-il en brandissant un poing rageur. T'en veux encore ?

Le garçon, secoué de sanglots, rampait lamentablement sur la moquette.

— Laisse-moi tranquille, gémit-il.

James vit une larme rouler sur le visage d'Andy. La colère qui l'avait animé disparut instantanément. Il jeta un regard nerveux par-dessus son épaule pour s'assurer que personne n'avait assisté à la scène, puis tendit la main à sa victime pour l'aider à se relever.

— Je suis vraiment désolé, marmonna-t-il. Je ne sais pas ce qui m'a pris. Ma copine vient de me larguer et ça m'a rendu complètement dingue…

— Ne t'approche pas de moi, espèce de salaud !

Meryl Spencer, la responsable de formation, surgit de son bureau situé à l'extrémité du couloir et accourut dans leur direction. Au même instant, Kerry sortit de sa chambre et s'accroupit au chevet d'Andy. Elle leva les yeux vers James, visiblement stupéfaite.

— Nom de Dieu, James, qu'est-ce qui ne tourne pas rond chez toi ?

10. Près du local à poubelles

Meryl passa plus d'une heure à hurler aux oreilles de James. Il était abasourdi, incapable de comprendre comment une simple querelle d'amoureux avait pu dégénérer à ce point. Lorsque la responsable de formation lui permit enfin de quitter le bureau, il se rendit au réfectoire.

Tandis qu'il patientait au self-service, il eut le sentiment désagréable qu'on murmurait dans son dos. Il s'approcha de la table où étaient rassemblés les membres de sa bande, Shak, Connor, Gabrielle, Kerry et Kyle. Seuls manquaient à l'appel Bruce, qui était en mission, et Callum, qui était vissé sur les toilettes. James s'assit aussi loin que possible de Kerry, face à Kyle, et remarqua que son ami portait une minerve en mousse.

La nouvelle du traitement qu'il venait d'infliger à Andy Lagan avait rapidement fait le tour du campus. Il ne s'attendait pas à recevoir un accueil enthousiaste, mais il pensait qu'il lui suffirait de présenter des excuses publiques et d'accepter sans protester la sévérité de sa punition pour obtenir le pardon de ses camarades.

— Je suis privé de vacances, annonça-t-il solennellement. Je n'irai pas à la résidence, cet été. Je suis suspendu de mission pendant un mois et je suis de corvée de ménage au centre de contrôle tous les soirs pendant trois mois. Oh, et puis je dois voir un psy pour apprendre à contrôler ma colère.

Constatant que ses amis ne manifestaient aucune réaction, il fit une nouvelle tentative.

— J'ai vraiment déconné, sur ce coup-là. J'ai conscience que ce que j'ai fait est inacceptable mais...

— James, on n'en a rien à foutre, dit Gabrielle sur un ton glacial. Pourquoi tu ne vas pas t'asseoir ailleurs ?

Ces mots lui firent l'effet d'une gifle.

— Vous savez bien que je pète les plombs, des fois, gémit-il en recherchant vainement sur le visage de ses amis un signe de soutien.

— Si tu ne dégages pas tout de suite, c'est nous qui partons, ajouta Kyle. Est-ce que tu sais ce qu'Andy a vécu, ces derniers mois ?

— Sa grand-mère est morte dans un incendie d'origine criminelle, précisa Shak. Comme la police le soupçonnait, il a passé six mois dans un centre pénitentiaire avant que le coupable ne soit dénoncé.

— Il a essayé de se suicider peu de temps avant d'arriver au campus, dit Kyle. Il a passé les tests préliminaires, mais Mac préfère attendre que son état mental s'améliore avant de lui faire passer le programme d'entraînement.

— Et *toi*, tu l'as tabassé sans raison, lança Connor sur un ton accusateur. Tu es une merde, James.

— Je ne l'ai pas tabassé, plaida ce dernier. C'était juste une petite baffe. Je vais lui présenter mes excuses et lui filer deux jeux Playstation pour arranger les choses.

Kyle et Gabrielle secouèrent lentement la tête. Les autres agents observèrent un silence embarrassé.

— Je vois, gronda James avant d'empoigner son plateau et de quitter sa chaise.

Il voulut lancer « *j'ai d'autres amis* », mais sa gorge était si serrée qu'il fut incapable de prononcer un mot.

Il envisagea de rejoindre Lauren et Bethany, mais il craignait que la fréquentation de ces deux débutantes ne ternisse son image d'agent expérimenté. Il balaya le réfectoire du regard et remarqua quelques visages connus, des garçons et des filles avec qui il avait sympathisé à l'occasion d'exercices d'entraînement ou de cours de sciences, mais tous avaient déjà leur propre petite bande et s'y intégrer n'était pas chose facile.

En désespoir de cause, il finit par s'asseoir à une table inoccupée, au fond du réfectoire, près du local à poubelles.

∴

Son repas achevé, James regagna sa chambre et se laissa tomber sur le lit. Il lui semblait que sa vie venait de s'écrouler. En l'espace de quatre heures, il avait perdu Kerry, ses amis et avait vu s'envoler ses projets de vacances. Son avenir se résumait désormais à la haute pile de devoirs en retard posée sur le bord de son bureau.

Il entendit trois coups frappés à sa porte. C'était le signal de reconnaissance de Lauren.

— Ouais, dit-il sans grand enthousiasme, craignant de recevoir une nouvelle leçon de morale.

— Tu vas bien ? demanda-t-elle. On dirait que tu as pleuré.

— Tu rigoles ? lança-t-il avec un petit rire forcé.

Après quelques secondes de silence, il haussa les épaules et ajouta :

— Ouais, j'ai un peu chialé, en fait.

— Kyle a dit que j'avais le droit de te parler, vu que je suis ta sœur.

— Quoi ? s'indigna James. Tu dois demander la permission à ce crétin pour venir me voir, maintenant ?

— Gabriel et lui t'ont sauvé la vie, tu sais.

— Qu'est-ce que tu racontes ? Tu les as pas vus, au réfectoire. Ils m'ont traité comme un chien.

— C'est toi qui ne comprends rien. Andy est sous la protection de deux agents de seize ans. Quand ils ont su ce qui s'était passé, ils ont voulu te casser la gueule. Kyle est allé discuter avec eux. Il les a persuadés qu'une mise en quarantaine serait une punition plus efficace.

— Franchement, j'aurais préféré qu'ils me passent à tabac. On en aurait fini, à l'heure qu'il est. Je pense que je ne mérite pas ce qui m'arrive. Je lui ai juste mis une claque.

— T'es débile ou tu le fais exprès ? T'as un problème, James. Ce n'est pas la première fois que tu pètes les plombs et que tu t'en prends au premier venu.

— De quoi tu parles ?

— En CM1, tu as cogné un des élèves de ta classe avant de détruire tout le matériel de la salle de dessin. En CM2, tu as cassé la jambe d'un de tes copains. Tu as planté un clou dans le visage de Samantha Jennings le jour où maman est morte. Tu as failli finir en taule, à l'époque où tu vivais au centre Nebraska. Tu as écrasé la main de Kerry pendant le programme d'entraînement. Quand j'y pense, tu m'as même frappée une ou deux fois.

— On se disputait tout le temps, quand on était petits. Tous les enfants font ça.

Lauren secoua la tête.

— Oui, mais toi, tu m'as carrément collé un œil au beurre noir. On a dit à maman que c'était un accident, mais toi et moi, on sait très bien ce qui s'est réellement passé. Tu es devenu dingue parce que j'avais bouffé un morceau de ton œuf de Pâques.

— J'avais dix ans, Lauren. Arrête de me faire passer pour un psychopathe.

— Je ne sais pas si tu es un psychopathe, mais tu es sérieusement tordu. J'espère que tes potes ne te pardonneront pas et que Kerry ne t'adressera plus jamais la parole. Je crois que c'est le seul moyen pour que tu comprennes enfin que tu ne peux pas t'en prendre à n'importe qui dès qu'un truc te défrise.

James avait l'impression d'avoir reçu une avalanche de coups.

— Eh bien, merci beaucoup, geignit-il. Tu as le chic pour me remonter le moral.

— Oh, mon pauvre chéri. Tu me ferais presque de la peine.

— Kerry m'a largué sans aucune raison.

Lauren, qui connaissait par cœur les manœuvres de son frère, ignora royalement cette justification.

— Si je comprends bien, tu n'as aucune intention de te débarrasser de tes sales habitudes. Comment vois-tu le futur ? Tu battras ta femme et tes mômes quand tu auras tes coups de calcaire ?

James manqua de s'étrangler.

— Lauren, ne sois pas *stupide*. Je ne ferai jamais une chose pareille.

— Comment tu peux en être si sûr ? Apparemment, tu es incapable de te contrôler.

— Je ne toucherai jamais un cheveu de ma femme et de mes enfants. Je le jure devant Dieu.

— Tiens, ben puisqu'on en est aux serments, ouvre bien tes oreilles. J'en ai marre que tu te comportes comme un abruti. Je jure sur la tombe de maman que si tu refais un coup pareil, je ne t'adresse plus la parole de ma vie.

Sur ces mots, elle se leva et se dirigea vers la porte.

— Lauren, attends ! hurla James, au bord des larmes.

Elle se figea, la main sur la poignée.

— Quoi ?

Il haussa les épaules.

— Je sais pas… Reste un peu avec moi. On va regarder la télé, d'accord ? J'ai pas envie de me retrouver tout seul.

Lauren secoua la tête.

— Je suis invitée à une fête d'anniversaire. Je crois que j'ai bien mérité de me distraire un peu. Tu es seul ? Tu te sens minable ? La faute à qui ?

Sur ces mots, elle quitta la chambre et claqua la porte derrière elle.

James s'effondra sur le lit et fondit en larmes. Sa sœur s'était montrée sans pitié, mais elle avait frappé juste.

Alors, entre deux sanglots, il eut une soudaine révélation. Il vit défiler le visage de ses victimes. Il n'éprouvait rien à leur égard, ni haine ni mépris. À chaque coup porté, ce n'était pas elles mais lui-même qu'il cherchait à blesser.

11. Mea culpa

CHERUB – CONTRAT DE BONNE CONDUITE

Je soussigné James Robert Adams m'engage solennellement à respecter les clauses suivantes :

1. Je m'engage à adopter une attitude respectueuse à l'égard de mes camarades et des membres de l'équipe d'encadrement.

2. Je renonce définitivement à faire usage de la violence tant verbale que physique.

3. Je m'engage à consulter régulièrement un psychologue afin de mettre un terme à mes accès de colère.

4. Je m'engage à mettre en œuvre les techniques acquises au cours de ces séances.

5. Je m'engage à présenter des excuses écrites à Andy Lagan.

6. Je prends acte que je ne pourrai pas quitter le campus tant que je n'aurai pas effectué mon travail scolaire en retard. Je n'aurai pas recours à l'assistance de mes camarades.

7. Je me chargerai du nettoyage du centre de contrôle, du lundi au samedi inclus, de 17 h 00 à 19 h 00, pendant trois mois, ou jusqu'à ce qu'une mission me soit confiée.

8. Je prends acte que je suis suspendu de toute mission opération-nelle pendant un mois. Cette sanction pourra être étendue à trois mois si je ne parviens pas à remplir les exigences du paragraphe 6.

9. Je renonce à mon séjour annuel à la résidence d'été de CHERUB.

10. Je m'engage à ne pas chercher à remettre en cause les termes de ce contrat en harcelant ma responsable de formation.

Ma situation sera réexaminée dans trois mois. Si je ne suis pas parvenu à remplir chacune des clauses, je recevrai une sanction exemplaire et m'exposerai à une expulsion définitive de CHERUB.

L'agent : James R. Adams
La responsable de formation : Meryl Spencer
Le témoin : Lauren Z. Adams

12. Le grand nettoyage

UN MOIS PLUS TARD

Jusqu'à l'âge de onze ans, James avait mené une existence banale, une morne succession de jours d'école que seule la perspective des vacances d'été rendait supportable. Depuis la mort de sa mère, il avait résidé dans un orphelinat, suivi le programme d'entraînement initial, vécu dans une communauté de hippies, joué les trafiquants de drogue en herbe et risqué sa peau dans une prison de haute sécurité aux États-Unis.

Malgré la dureté de l'entraînement et les exigences de ses professeurs, James adorait la vie au campus. Sa chambre était confortable et bien équipée. La nourriture du réfectoire était délicieuse, et les repas pris entre amis prétextes à d'interminables discussions concernant les punitions récoltées par les uns et les autres, les dernières affaires de cœur ou les résultats du championnat de football. Il aimait par-dessus tout l'ambiance de joyeux chahut du bâtiment principal, ces fréquentes batailles entre étages menées à coups de grenade à eau et de bombe à farine.

Depuis sa mise en quarantaine, n'ayant personne à qui parler, il quittait rarement sa chambre. Il était venu à bout de son travail en retard et passait le plus clair de son temps à feuilleter des magazines et à jouer à la Playstation. Toute la journée, il entendait des agents courir dans le couloir, hurler de rire et claquer les portes.

Le pire, c'est qu'il ne pouvait s'en prendre qu'à lui-même.

•••

À l'exception des jours fériés et de la semaine de Noël, l'équipe enseignante de CHERUB travaillait sans relâche pour permettre aux élèves de retour de mission de rattraper leur retard scolaire. Alors que la plupart des agents avaient déjà quitté le campus pour profiter de leurs cinq semaines réglementaires de vacances à la résidence d'été, James suivait des cours du lundi au samedi. Chaque soir, résolu à respecter les clauses de son contrat de bonne conduite, il s'efforçait de terminer ses devoirs avant d'entamer sa corvée de nettoyage.

Ce mercredi-là, en sortant de sa chambre pour se rendre au centre de contrôle, il tomba nez à nez avec Shak et Bruce. Ce dernier se tenait au milieu du couloir, vêtu d'un maillot de bain trois fois trop petit pour lui. Son camarade, adossé à un mur, se tordait de rire.

— Il faut absolument que tu en achètes un autre avant de partir. Je me demande même comment tu as réussi à l'enfiler !

— Je comprends pas. Il m'allait super bien, l'année dernière. Le problème, c'est que j'ai claqué tout mon budget vêtements. Tu me prêterais le tien ? Tu sais, le bleu ?

— Tu peux me laisser passer, Bruce ? demanda James.

Il avança, la tête basse, sous le regard méprisant de ses anciens camarades. Il songea qu'un mois plus tôt, ils auraient probablement pris le bus tous les trois pour se rendre en ville, faire du lèche-vitrines et semer la panique au *Burger King*.

Lorsque les portes de l'ascenseur s'ouvrirent, il découvrit avec effroi Norman Large planté au centre de la cabine, le crâne frôlant le plafond. C'était la première fois qu'il le croisait depuis qu'il était allé trouver le directeur avec Dana, une décision qui avait provoqué la rétrogradation de Large au poste d'instructeur du rang et son remplacement par Mr Speaks, son ancien assistant.

Ils ne s'adressèrent pas un mot, pas un regard. James éprouvait une vive sensation de malaise à l'idée de se trouver enfermé dans un espace confiné en compagnie d'une brute haineuse qui aurait pu l'étrangler à mains nues avant qu'ils n'aient atteint le rez-de-chaussée.

...

James colla son œil droit à la lentille du portail de sécurité. Un rayon rouge balaya sa rétine, puis un sticker comportant son nom et sa photo jaillit d'une fente. Il le colla à l'envers sur son T-shirt, poussa la porte et pénétra dans le centre de contrôle.

Il tira du placard d'entretien l'énorme chariot de nettoyage équipé d'un vaste sac-poubelle, d'une serpillière, d'un seau, d'un aspirateur et de compartiments où étaient rangés des chiffons et des produits nettoyants.

Vingt salles de préparation étaient alignées le long de l'interminable couloir en forme de banane. Les luxueux bureaux des contrôleurs de mission en chef, Zara Asker et Dennis King, étaient situés aux deux extrémités.

Comme à son habitude, James commença par le bureau de King, toujours inoccupé dès cinq heures de l'après-midi. Il vida les poubelles, débarrassa les verres et les assiettes sales, dépoussiéra toutes les surfaces, passa l'aspirateur et termina par une giclée de désodorisant. La tâche n'avait rien d'éreintant, mais il n'avait jamais rien connu de plus ennuyeux. En outre, il devait maintenir un rythme soutenu pour venir à bout des vingt bureaux, des quatre blocs sanitaires, du couloir et de la vaisselle dans les deux heures qui lui étaient imparties. Malgré ses efforts, il n'était jamais parvenu à remplir sa corvée en moins de deux heures et quart.

Au bout d'une heure et demie, il commença à avoir mal aux pieds. Il venait d'achever le nettoyage des toilettes, l'aspect du travail qu'il détestait le plus. Perdre ses amis et être privé de vacances n'était rien en comparaison d'un quart d'heure passé à genoux, ventouse en main, devant des WC bouchés.

Au moment où il jetait ses gants dans le sac-poubelle, il entendit un gloussement. Comme chaque soir, Joshua, le fils de Zara Asker âgé de dix-huit mois, venait lui rendre visite.

— Bouh ! cria l'enfant en jaillissant de derrière le chariot.

James s'adossa au mur, l'air faussement épouvanté.

— Eh, tu m'as foutu la trouille ! Petit monstre !

Joshua éclata de rire puis serra les jambes de James. Il portait une salopette rayée constellée de taches brunes. Sa frange blonde tombait sur ses yeux.

— Joshua monskre. Grrrrrr.

— Tu t'es encore échappé ?

James prit le petit garçon dans ses bras et alla frapper à la porte de sa mère. Il avait de l'estime et de l'affection pour Zara Asker. Chaque soir depuis le début de sa punition, elle lui préparait une tasse de thé et prenait quelques minutes de son temps pour discuter avec lui.

Lorsqu'il entra dans le bureau, il trouva la contrôleuse en compagnie d'une inconnue aux cheveux blonds et à la silhouette athlétique. Un peu déçu, il posa Joshua sur la moquette et tourna les talons.

— Je dois filer, lança-t-il.

— Reste ici, James, ordonna Zara. Il faut que je te parle.

La femme assise devant elle était âgée d'une trentaine d'années.

— Millie, je te présente James, le garçon dont je t'ai parlé. James, voici Millie Kentner, un ancien agent de CHERUB.

James fit un pas en avant dans l'intention de lui serrer la main, mais Joshua fit rouler une petite voiture sur le cou-de-pied de sa botte.

— Regarde, dit le petit garçon.

— Super. Elle est toute neuve ?

Zara se tourna vers la jeune femme.

— Ewart amène Joshua ici tous les soirs, histoire qu'il passe une demi-heure avec moi avant de se mettre au lit, mais il ne s'intéresse qu'à James. Je crois que c'est une sorte de héros, pour lui.

Millie adressa à James un sourire d'une blancheur éblouissante. Vaguement embarrassé, il haussa les épaules et fit rouler machinalement la Lamborghini miniature.

— Dès qu'il se réveille, ajouta Zara, il n'a que ce nom à la bouche : James, James, James. Hier, il nous a même dit qu'il allait à la pêche avec James. Va savoir ce qui se passe dans sa petite tête...

— Alors, le héros, lança la jeune femme, comment tu t'es retrouvé à faire le ménage ?

— Une bagarre, répondit James, de plus en plus mal à l'aise.

— Tu ne refais pas un peu l'histoire, là ? ricana Zara. La vérité, c'est que cette andouille s'est fait plaquer par sa petite copine et qu'il a tabassé le premier agent qui lui tombait sous la main, un gamin de onze ans.

— Oh, mon Dieu, gémit Millie. Comment tu as pu faire ça, James ? Tu as l'air si sympa quand tu t'occupes de Joshua.

— Comme je te l'ai expliqué, poursuivit Zara, James est un agent expérimenté, mais, pour le moment, il traverse une mauvaise passe. Ses amis ne lui adressent plus la parole et il est privé de vacances. Sa seule chance d'échapper à sa corvée de nettoyage, c'est que je l'envoie en mission.

— Vu le service que tu me rends, je suis mal placée pour faire la difficile. Je m'occuperai de lui trouver un logement, et je pense que l'opération ne prendra pas plus d'un mois.

Zara se tourna vers James :

— Lorsqu'elle a quitté CHERUB, Millie est entrée dans la Métropolitaine. Elle dirige une unité de police de proximité à l'est de Londres. Elle a fait appel à nous pour régler ses problèmes avec un truand local. C'est une opération de routine : tu emménageras dans le quartier en compagnie d'un autre agent et tu feras en sorte de te lier avec les enfants de notre cible. Je n'ai pas encore le rapport de mission et l'aval du comité d'éthique, mais quelque chose me dit que tu es intéressé.

Il hocha la tête avec enthousiasme.

— J'accepterais n'importe quoi pour ne plus avoir à plonger mes mains dans les toilettes.

Zara lui adressa un large sourire.

— Tu es tellement prévisible, James.

13. Les frères Tarasov

** CONFIDENTIEL **

ORDRE DE MISSION DE JAMES ADAMS

CE DOCUMENT EST ÉQUIPÉ D'UN SYSTÈME ANTIVOL INVISIBLE. TOUTE TENTATIVE DE SORTIE HORS DU CENTRE DE CONTRÔLE ALERTERA IMMÉDIATEMENT L'ÉQUIPE DE SÉCURITÉ.

NE PAS PHOTOCOPIER – NE PAS PRENDRE DE NOTES

Millie Kentner

Née en 1971, Millie Kentner rejoint les rangs de CHERUB en 1981. Distinguée du T-shirt noir, elle prend sa retraite en 1988 après onze missions couronnées de succès. Le rôle qu'elle a joué dans le dénouement de la grève des mineurs de 1985 a été décrit par le directeur de l'organisation comme « l'une des performances les plus extraordinaires jamais accomplies par un agent de CHERUB ».

Millie étudie la médecine légale à l'université du Sussex. En 1992, elle entre dans la Police métropolitaine, où elle obtient le grade d'inspecteur en quatre ans. Cette promotion lui permet de rejoindre une unité chargée d'une vaste juridiction de l'Est londonien englobant *Palm Hill*, un quartier resté célèbre pour les émeutes qui s'y sont déroulées en *1981*.

Aujourd'hui, grâce au travail accompli par Millie Kentner au cours des neuf dernières années, le taux de criminalité y est moins important que dans le reste de Londres. En 2002, souhaitant poursuivre ses activités dans le quartier, elle refuse le grade d'inspecteur en chef ainsi que le poste qui lui est proposé au sein d'une unité d'élite chargée d'enquêter sur des crimes de grande envergure sur l'ensemble de la juridiction londonienne.

Les frères Tarasov

Léon et Nikola Tarasov naissent en Russie au début des années *1950*. Si leur âge exact reste inconnu, les autorités estiment que Nikola a vu le jour un an avant son frère.

Après avoir servi quelques années dans la flotte soviétique, ils exercent la profession de marin-pêcheur.

En août *1975*, au cours d'une campagne en mer du Nord, leur chalutier est victime d'une double panne moteur. Un navire de secours britannique répond à l'appel de détresse du capitaine et évacue les quarante-deux membres d'équipage avec l'assistance de la flotte norvégienne.

Dès leur arrivée en Angleterre, Léon, Nikola et six autres marins réclament l'asile politique. Craignant l'ouverture d'une crise diplomatique avec l'URSS, les autorités tentent vainement de les persuader de regagner leur pays puis, en désespoir de cause, se voient contraintes d'accepter leur requête.

Léon et Nikola ne parviennent pas à retrouver du travail sur un bateau de pêche britannique. Ils s'intègrent à la petite communauté russe de Bow, dans l'Est londonien, et exercent tour à tour le métier de chauffeur, de cuisinier et de brancardier. En parallèle, ils se livrent à diverses activités illégales. En *1979*, Nikola est condamné à trois mois de détention pour le vol de deux mille livres en liquide dans les locaux de la compagnie de taxis dont il est l'employé.

Les émeutes de Palm Hill

À sa sortie de prison, Nikola, ruiné et sans domicile fixe, obtient des services sociaux un deux-pièces dans le quartier de Palm Hill, où il emménage en compagnie de son frère. Les deux hommes reprennent leur existence précaire, associant emplois sous-payés et combines illégales.

La nuit du 13 juillet 1981, trois mois après les célèbres émeutes de Kingston, les forces de l'ordre procèdent à l'arrestation d'un jeune homme circulant à bord d'une voiture volée. Une rumeur se répand dans le quartier comme une traînée de poudre : des témoins affirment que les policiers se sont livrés à des violences sur l'individu menotté à l'arrière de leur véhicule de service.

Une foule hostile se rassemble autour des lieux de l'incident. Les officiers essuient une pluie de briques et de bouteilles avant d'être extraits de leur voiture et passés à tabac.

À la nuit tombée, les émeutiers et les forces de police appelées en renfort se lancent dans une course-poursuite dans les rues de Palm Hill. Des boutiques sont pillées, des vitrines brisées et des véhicules incendiés. Un parking de soixante places part en fumée. Les autorités mettent plus de huit heures pour rétablir l'ordre.

La renaissance de Palm Hill

Les destructions de nature volontaire n'étant pas indemnisées par les compagnies d'assurance, le gouvernement débloque des sommes importantes pour venir en aide aux habitants du quartier. Léon et Nikola voient dans ces annonces une opportunité d'enrichissement. Ils déclarent la perte, dans l'incendie du parking, de cinq automobiles destinées à la revente. Selon les estimations des enquêteurs, ils perçoivent plus de quatre fois leur valeur réelle.

Enchantés par le succès de leur escroquerie, ils investissent les indemnités dans l'achat d'un pub désaffecté et d'un terrain voisin. Bénéficiant de subventions à la création d'entreprise et d'un prêt d'aide à la reconstruction, ils réaménagent l'établissement et transforment la parcelle en une concession spécialisée dans la vente de véhicules d'occasion.

Hommes d'affaires

Malgré le succès relatif de leurs activités, les frères Tarasov, désormais hommes d'affaires autoproclamés, paradent en costume devant les équipes de télévision venues couvrir « la renaissance » du quartier.

En vérité, ils mènent leurs activités sans le moindre souci de respect des lois. Outre les soupçons de fraude fiscale qui pèsent sur eux, ils sont accusés de trafic de pièces et de véhicules volés. Une perquisition permet la découverte d'une importante quantité de fausses vignettes. Léon et Nikola clament leur innocence, et rejettent la culpabilité sur un ancien employé. Ils sont jugés non coupables après trois jours de procès au tribunal de Bow.

Leur pub, le King of Russia, devient bientôt le repaire des dealers et des receleurs locaux. Il reste ouvert toute la nuit, au mépris des heures d'ouverture administratives, et abrite des parties de poker illégales.

La dynastie Tarasov

Pendant des années, les frères Tarasov mènent des existences étonnamment similaires. En 1985, Léon épouse Sacha Arkady, qui donnera naissance à Sonya en 1989 (16 ans aujourd'hui), puis à Maxim, dit Max, trois ans après. La même année, Nikola se marie avec Paula Randall. Eux aussi auront un fils et une fille : Piotr, dit Pete, 18 ans, et Liza, 14 ans à ce jour.

En 2000, Paula quitte le domicile conjugal et se remarie dès le divorce prononcé. De santé fragile, Nikola Tarasov succombe à une pneumonie en décembre 2003. Ses enfants sont confiés à Léon, sans que leur mère ne conteste la décision.

Léon, Sacha, leurs enfants, leur nièce et leur neveu vivent aujourd'hui dans un vaste duplex de Palm Hill.

Retour de fortune

À la mort de son frère, Léon Tarasov sombre dans l'alcool et la dépression. Le pub et la concession périclitent. Bientôt, on murmure qu'il aurait contracté une considérable dette de jeu auprès d'une figure importante du milieu.

La police de Palm Hill se réjouit de la banqueroute imminente de Léon Tarasov. Depuis douze ans, elle s'est montrée incapable de mettre un terme à ses activités criminelles et aux petits trafics qui gravitent autour du King of Russia. Un rapport interne de la police le décrit en ces mots : « Cet individu, qui se présente volontiers comme le protecteur de Palm Hill, ne fait que saper le travail réalisé pour la reconstruction du quartier. Il a la mainmise sur le trafic de véhicules et de biens volés. Nous le soupçonnons d'avoir établi un racket systématique des commerçants du quartier et, plus récemment, d'avoir joué un rôle majeur dans la violente guerre de territoire qui a opposé une partie des habitants à une communauté de gens du voyage. »

Fin 2004, à la surprise générale, Tarasov rembourse tous ses emprunts, fait l'acquisition d'une luxueuse voiture et loue un nouveau pub au nord de Palm Hill. Il investit une somme importante dans la rénovation de cet établissement qu'il rebaptise Queen of Russia. Les autorités n'ont jamais pu déterminer l'origine de ce soudain retour de fortune.

L'objectif de CHERUB

En plus de trente ans d'activités criminelles, Léon Tarasov a échappé à toute condamnation, à l'exception d'une modeste amende pour fraude fiscale. À ce jour, les tentatives d'infiltration et de recours à des informateurs ont échoué.

Les milliers d'heures de travail investies en vain ont eu raison de l'enthousiasme des membres de la police de Palm Hill. En désespoir de cause, Millie Kentner a fait appel à ses anciens collègues de CHERUB.

Deux agents expérimentés emménageront dans un appartement inoccupé situé au même étage que celui de la famille Tarasov. James Adams, 13 ans, s'efforcera de se lier avec Max et Liza. Dave Moss, 17 ans, sera chargé d'approcher Pete et Sonya.

Dave — alias Dave Holmes — se fera passer pour un orphelin bénéficiant d'une mesure d'émancipation anticipée. James — alias James Holmes — incarnera un adolescent ayant reçu la permission de vivre en compagnie de son frère aîné. La contrôleuse de mission en chef Zara Asker sera chargée de l'organisation de la mission. Millie Kentner dirigera l'opération au jour le jour.

Objectifs de la mission

1. Infiltrer la famille Tarasov et obtenir des preuves permettant d'établir la nature de ses activités criminelles.

2. Infiltrer la concession de véhicules d'occasion soupçonnée d'être le quartier général de son organisation criminelle.

3. Découvrir l'origine de la fortune soudaine de Léon Tarasov.

NOTE : CET ORDRE DE MISSION A ÉTÉ APPROUVÉ SANS RESTRICTION PAR LE COMITÉ D'ÉTHIQUE DE CHERUB.

Cette mission est classée RISQUE FAIBLE. Les agents pourront agir de façon indépendante, sans supervision quotidienne de leur contrôleur de mission.

14. Trois-pièces cuisine

Un samedi matin, James et Dave prirent la direction de Palm Hill à bord d'une vieille Ford Mondeo dont ils avaient rabattu les sièges arrière pour y entasser une montagne de bagages. Le système d'air conditionné ayant rendu l'âme, ils parcoururent l'autoroute toutes vitres baissées, au mépris du vent violent qui soufflait dans leurs cheveux.

C'était la seconde fois que James partait en mission avec Dave, un garçon aux longs cheveux blonds, aux yeux bleus et au visage d'ange qui tranchaient avec son corps d'athlète. James était plus râblé, moins séduisant, mais les deux agents pouvaient passer pour des frères sans éveiller les soupçons.

Dave glissa dans le lecteur un CD regroupant ses morceaux préférés de Led Zeppelin, Black Sabbath et The Who. À la troisième écoute, malgré son relatif mépris pour ces groupes d'ancêtres, James se laissa aller à brailler et à jouer de la guitare imaginaire sur le siège passager.

Ils atteignirent Palm Hill en début d'après-midi. Dave gara la Ford dans un parking à ciel ouvert où les vieux breaks familiaux côtoyaient les BMW des jeunes cadres récemment installés dans le quartier. Les bâtiments à trois étages qui encadraient le parc de stationnement avaient été fraîchement restaurés, les murs de brique nettoyés, les fenêtres repeintes et les portes donnant sur les cages d'escalier équipées d'interphones.

Les deux garçons descendirent de la voiture, chargèrent quelques sacs sur leurs épaules et marchèrent vers l'immeuble où Millie Kentner leur avait déniché un logement. James, outre l'habituel sentiment d'excitation et d'anxiété qu'il éprouvait au début de chaque mission, était soulagé d'avoir quitté le campus. Cette opération tombait à point nommé. Elle lui permettait d'échapper au supplice de voir sa sœur et ses anciens camarades rentrer de vacances épanouis, bronzés et des souvenirs plein la tête.

L'appartement était situé le long d'une coursive extérieure, à quatre portes de celui des Tarasov. Il y planait une écœurante odeur de renfermé. À l'évidence, il n'avait pas été occupé depuis des mois. La moquette, usée jusqu'à la corde, était d'une couleur indéfinissable. Les murs étaient ornés d'appliques en plastique imitation bronze. Le papier peint était à vomir.

— C'est plutôt zen, dit James en considérant le canapé et la table basse au plateau de verre ébréché du salon.

— Comme tous les orphelins en fin de tutelle, j'ai reçu trois cents livres pour acheter des meubles. On fera un tour chez *Ikea* dans la semaine.

James poursuivit son inspection. La cuisine et la salle de bains étaient à son goût. La chambre principale était équipée en tout et pour tout d'une tringle à rideaux et d'un lit double flambant neuf. Les murs étaient recouverts d'un papier peint floqué et le sol d'une moquette flamant rose.

— Immonde, lâcha-t-il.

L'autre pièce, plus petite, était sobrement peinte en blanc.

— Je te la laisse, si tu veux, dit Dave.

— Ça marche.

— Cool ! s'exclama Dave en se jetant sur le lit. Je vais pouvoir m'envoyer en l'air avec une fille différente chaque soir.

— Dans tes rêves, lança James.

Sa chambre, meublée d'un lit simple, lui rappelait celle qu'il avait occupée jadis, lorsque sa mère était encore en vie. De lointains souvenirs lui revinrent en mémoire : les ronflements derrière la cloison, les rires de sa sœur et de ses amies dans la pièce voisine. Il s'assit sur le matelas encore enveloppé de son plastique transparent, et sentit sa gorge se serrer.

∴

Les deux coéquipiers durent effectuer une dizaine d'allers-retours pour vider entièrement le coffre de la voiture. James prit une douche puis enfila un short propre et un maillot d'Arsenal. Ils n'avaient emporté du campus que des canettes de Coca et des barres de céréales. Il se rendit au supermarché *Sainsbury's* du coin pendant que Dave se lavait à son tour.

Il acheta du pain, du lait, des céréales et des plats à réchauffer au micro-ondes. Sur le chemin du retour, il remarqua Max Tarasov qui effectuait des tours de parking à vélo en compagnie de deux camarades.

Parvenu devant la porte menant à la cage d'escalier, il réalisa qu'il avait oublié ses clés dans son pantalon. Il enfonça le bouton de l'interphone, puis attendit une trentaine de secondes sans recevoir de réponse. Après une nouvelle tentative infructueuse, il recula de quelques pas, leva les yeux vers le bâtiment et hurla :

— Dave, ouvre cette putain de porte !

Une jeune fille à peine plus âgée que lui apparut sur la coursive.

— Tu veux entrer ?

— Je crois que mon frère est devenu sourd, ou qu'il se fout de ma gueule.

— Attends, je descends t'ouvrir, dit-elle.

À travers la porte vitrée, James vit apparaître au sommet de l'escalier des pieds aux ongles vernis chaussés de sandalettes, puis des jambes bronzées et une minijupe en jean. La jeune fille lui adressa un large sourire, ramena ses cheveux en arrière et appuya sur le bouton d'ouverture pour lui permettre d'entrer.

— Merci, dit-il.

— Je vous ai vu transporter vos affaires, tout à l'heure, toi et ton frère. Je m'appelle Hannah. J'habite à deux portes de chez vous.

— Moi, c'est James, et mon frangin, c'est Dave.

Il gravit l'escalier derrière sa nouvelle voisine, un sac *Sainsbury's* à chaque bras, puis s'engagea sur la coursive.

— Où sont vos parents ? demanda-t-elle.

— Au cimetière.

— Ah, désolée, je pouvais pas savoir.

— Tu sais, j'avais quatre ans quand c'est arrivé. Je n'ai gardé aucun souvenir d'eux.

— Et vous vivez tout seuls, à votre âge ?

— Avant, on était en famille d'accueil, mais comme Dave vient d'avoir dix-sept ans, il a droit à un appartement. On m'a permis d'habiter avec lui, à l'essai. Notre éducateur viendra plusieurs fois par semaine voir comment les choses se passent.

— Alors, vous ne pouvez pas vraiment vous comporter comme des sauvages, j'imagine.

— Eh non, malheureusement, dit James avant d'enfoncer le bouton de sonnette de son appartement.

À l'intérieur, une chaîne hi-fi poussée à plein volume crachait un déluge de décibels.

— Contente de t'avoir rencontré, James, lança Hannah. J'espère qu'on aura l'occasion de se croiser.

— Tu veux entrer un moment pour dire bonjour à mon frère ?

— Eh, pourquoi pas ? s'exclama la jeune fille en haussant les épaules.

Lorsque Dave ouvrit la porte, les notes de *Baba O'Riley* des Who les frappèrent en plein visage.

— T'as pas tes clés ? demanda-t-il.

— Non. J'ai poireauté en bas pendant des plombes. Tu peux pas mettre la musique moins fort ? Tu vas rendre les voisins complètement dingues.

James et Hannah suivirent Dave jusqu'au salon. Ce dernier baissa le volume puis se tourna vers la jeune fille.

— Heureuse de faire ta connaissance, bredouilla-t-elle, visiblement émue.

James, qui n'avait eu en tout et pour tout que trois petites amies dignes de ce nom, enviait le tableau de chasse de son coéquipier. Les filles rougissaient en sa présence et gloussaient à toutes ses blagues. Selon les plus anciens agents du campus, il avait la réputation de collectionner les aventures et de traiter ses conquêtes avec le plus grand mépris.

— C'est quoi, cette cicatrice ? demanda Hannah en frôlant d'un doigt tremblant le torse de Dave.

— J'ai eu un caillot de sang dans la poitrine, il y a quelques mois. Ils m'ont planté un tube dans le thorax pour me retirer cette saloperie.

— Beurk, lâcha-t-elle avant de faire un pas en arrière.

— Ouais, c'est con, j'ai ruiné toutes mes chances de devenir mannequin professionnel.

— Il faut que je mette les provisions au frigo, dit James.

— Pourquoi tu ne nous prépares pas une tasse de thé, pendant que tu y es ?

— Je peux pas rester longtemps, dit la jeune fille. Si je n'ai pas fini mes devoirs, mon père ne me laissera pas sortir, ce soir.

— Tu as un rencard ? demanda James.

— Non, je vais traîner près du lac artificiel, derrière la cité, comme tous les jeunes du quartier. Tu peux venir, si tu veux. Il y aura de l'alcool, et je te présenterai mes amis.

— OK, ça marche.

— Euh, il faut que je te dise... Il vaudrait mieux que tu oublies ton maillot d'Arsenal. Y a que des fans de West Ham et de Chelsea, dans le coin.

15. Espèce menacée

Assis devant la table basse du salon, les garçons dégustaient des lasagnes réchauffées au micro-ondes, les yeux rivés sur l'écran de télévision. Les images, relayées par une antenne intérieure bon marché, étaient à peine identifiables. Lorsque Dave vit Sonya Tarasov passer devant la fenêtre donnant sur la coursive, il se leva d'un bond, ouvrit la porte de l'appartement et courut à sa rencontre.

— Eh, Mélanie ! lança-t-il en posant une main sur son épaule.

La jeune fille se retourna brusquement. C'était une adolescente au physique insignifiant, un peu ronde, au visage lunaire.

— Je ne m'appelle pas Mélanie, répliqua-t-elle, un peu inquiète.

Dave posa une main sur sa bouche et fit de son mieux pour adopter une expression embarrassée.

— Excuse-moi, dit-il d'une voix étranglée. Je ne voulais pas te faire peur. C'est juste que… tu ressembles tellement à l'une de mes ex.

James, sans lâcher sa fourchette et sa barquette de lasagnes, se glissa discrètement dans l'entrée pour espionner leur conversation. Lorsque Sonya réalisa qu'elle n'avait pas été accostée par un psychopathe mais par un irrésistible playboy, un large sourire apparut sur son visage.

— Pas de problème, gloussa-t-elle. C'est des choses qui arrivent.

— Je ne sais pas ce qui m'est passé par la tête. Évidemment que tu ne pouvais pas être Mélanie… je ne connais personne dans le quartier.

— Tu viens d'emménager ?

— Ouais, avec mon petit frère, à l'appartement 16.

Sonya restait muette, comme hypnotisée par le physique de son interlocuteur.

— Alors, ça bouge bien ici, le soir ? demanda Dave.

— Le *King of Russia* est tout près d'ici, mais les jeunes vont plutôt au *Queen of Russia*, à l'autre bout du quartier, C'est sympa, il y a de la musique *live* tous les samedis. Je travaille comme serveuse là-bas, de temps en temps, quand il y a du monde.

— Cool. Ça te dirait que je t'offre un verre, un peu plus tard ?

Sonya se mordilla nerveusement le pouce puis lança :

— Ouais, avec plaisir.

— Au fait, je m'appelle Dave.

— Moi, c'est Sonya.

— Super content de te connaître, Sonya. Bon, faut que je rentre. Je dois préparer le déjeuner pour mon petit frère.

Dave tourna les talons et regagna l'appartement. Il claqua la porte d'un coup de pied puis, l'air triomphant, se laissa tomber dans le canapé. James le fixait intensément, la mâchoire ballante.

— J'y crois pas, murmura-t-il.

— Quoi ? demanda Dave, l'air innocent.

— Elle a craqué pour toi en moins de dix secondes.

— Oh, tu sais, c'est pas si difficile. J'avais un peu la trouille de draguer quand j'avais ton âge, et puis j'ai fini par réaliser que les nanas n'étaient pas des extraterrestres de la planète Zorg. Il suffit de trouver un moyen d'engager la conversation. Après, soit la fille mord à l'hameçon, soit elle s'en fout, et crois-moi, y a pas mort d'homme.

— Mais quand même ! T'as vraiment pas eu besoin de forcer, là…

— Ouais, évidemment, ça aide quand la nana te trouve totalement irrésistible.

Sur ces mots, il avala une bouchée de nourriture puis lâcha un rot tonitruant.

— Au fait, ça t'amuse de me faire passer pour un gamin de cinq ans ? demanda James.

— Qu'est-ce que tu racontes ?

— *Je dois préparer le déjeuner pour mon petit frère*, répéta James. Vas-y mollo, sans déconner. Je te rappelle que c'est moi qui ai sorti ces barquettes de leur carton et qui ai percé les trous dans l'opercule.

∴

Hannah vint chercher James en compagnie de deux amies. Il reconnut aussitôt les traits grossiers de Liza Tarasov aperçus sur les photos de surveillance que Millie Kentner lui avait confiées. L'autre fille se prénommait Jane.

— J'habitais cet appartement, avant, dit cette dernière. Ça fait bizarre. On a déménagé au rez-de-chaussée parce que j'ai la phobie des escaliers.

Le petit groupe gravit une pente abrupte pour rejoindre le lac artificiel. C'était un réservoir à ciel ouvert entouré d'un vaste parc municipal. Des joggers trottinaient sur les sentiers. Des maîtres jouaient avec leurs chiens. De jeunes enfants tapaient dans le ballon ou lançaient des frisbees sur les pelouses, sous la surveillance de leurs parents.

Les filles traversèrent au pas de course ce lieu agréable et guidèrent James jusqu'à une zone excentrée qui jouxtait une route goudronnée. C'était un terrain vague jonché de canettes de bière vides et de pneus usagés. Un ruisseau d'où émergeaient des vestiges d'électroménager rouillés s'écoulait vers le réservoir.

Lors de la campagne de réhabilitation qui avait suivi les

émeutes de 1981, trois millions de livres sterling avaient été investies dans la construction d'une maison des jeunes, d'aires de jeux et de terrains de sport destinés à répondre aux besoins des enfants et des adolescents du quartier. Au cours des missions qu'il avait menées, James avait remarqué que les garçons et les filles de son âge désertaient systématiquement les lieux où les adultes essayaient de les confiner. Ils leur préféraient les endroits sinistres et reculés où ils pouvaient se livrer à toutes les activités douteuses qui donnaient des cauchemars à leurs parents.

Trente garçons et filles âgés de douze à quinze ans étaient assis dans l'herbe, rassemblés par groupes de quatre ou cinq. L'atmosphère était détendue. Ils discutaient de tout et de rien en regardant le soleil disparaître derrière les maisons voisines.

James avait reçu l'ordre prioritaire de se lier d'amitié avec Liza et Max Tarasov, mais Hannah constituait une irrésistible source de distraction. Elle avait répété avec insistance qu'elle n'avait pas de petit ami, et sa conversation, qui englobait des sujets aussi passionnants que le championnat de foot et les techniques les plus sophistiquées pour se débarrasser de ses devoirs, lui était extrêmement agréable.

Liza s'éloigna pour discuter avec un autre groupe de filles. James et Hannah partagèrent une canette d'Heineken taxée à un garçon plus âgé qui, à l'évidence, en pinçait pour cette dernière. Jane, qui se sentait mise à l'écart, annonça qu'elle devait rentrer à la cité pour s'occuper de sa grand-mère.

Quelques garçons vinrent discuter avec eux. Peu après vingt heures, Max Tarasov fit son apparition et s'approcha aussitôt de James pour lui en claquer cinq. Ce dernier avait conscience qu'il devait saisir cette occasion d'entrer en contact avec l'une de ses cibles principales, mais il craignait de ruiner ses chances de sortir avec Hannah.

— Salut voisin, dit Max. Hannah m'a dit que tu étais supporter d'Arsenal ? C'est cool, je me sentirai moins seul.

— Ouais, j'ai l'impression qu'on est une espèce menacée, dans le quartier…

James était ravi de cette entrée en matière. CHERUB l'avait sélectionné pour approcher Max Tarasov en raison de son âge et de sa psychologie, mais cette passion commune pour Arsenal rendait les choses infiniment plus faciles.

— Moi et mes potes, on va faire un tour au magasin d'alcool pour acheter de la bière, dit Max. Tu viens avec nous ?

— J'ai un peu de cash, mais je vais avoir du mal à passer pour un mec de dix-huit ans.

— T'inquiète. Le vendeur refilerait des armes chimiques à des gosses de six ans s'il pouvait se foutre deux livres de plus dans la poche.

James sourit.

— Il a ça en stock ? Ça pourrait m'intéresser.

— Je sais pas. T'auras qu'à lui demander.

James se tourna vers Hannah.

— Je reviens dans cinq minutes. Ça t'embête pas trop ?

— Pourquoi ça m'embêterait ? répondit la jeune fille en haussant les épaules.

James remarqua ses lèvres serrées et son port de tête un peu raide.

— Tu veux que je te rapporte quelque chose ? demanda-t-il, soucieux de concilier les exigences de sa mission et l'attirance qu'il ressentait pour sa nouvelle amie. Un Mars, des chips, tout ce que tu veux.

— Du Coca et une petite bouteille de vodka.

James comprit que cette exigence allait lui coûter un billet de dix, mais le budget alloué par Zara lui permettait cet écart. Deux garçons plus âgés ouvrirent la marche. James et Max leur emboîtèrent le pas.

— T'assures, James, dit le garçon. Sortir avec Hannah dès le premier soir, c'est la classe…

James s'efforça d'adopter le ton et l'attitude de Dave.

— C'est une question de confiance, mec. Les filles ne sont pas des extraterrestres venues de la planète Zorg. Il suffit de trouver un moyen d'engager la conversation.

— Ouais, mais Hannah est un peu spéciale, surtout depuis ce qui lui est arrivé l'année dernière.

— De quoi tu parles ?

— Son cousin, Will. Il avait dix-huit ans. C'était un pauvre type, un hippie complètement cramé qui fumait des pétards à longueur de journée. Un jour, il était tellement défoncé qu'il est tombé du toit de notre immeuble.

James ignorait tout de cet incident.

— Hannah était proche de lui ?

— Pas spécialement, mais elle et Jane ont vu toute la scène. Elles étaient à cinq mètres, pas plus.

— Pas possible, s'étrangla James.

— Ben si. Elle était au premier rang quand son cousin s'est transformé en spaghetti à la bolognaise. Ça doit quand même vachement secouer, un truc pareil.

16. Code postal

Douze minutes plus tard, les garçons pénétrèrent dans le magasin d'alcool. James n'eut même pas à demander l'aide de ses deux compagnons plus âgés : comme prévu, le vendeur du magasin d'alcool accepta son argent sans rechigner, en échange d'une bouteille de Coca, d'une flasque de vodka et d'un pack de six canettes de bière.

Lorsqu'ils quittèrent l'établissement, il faisait si sombre qu'ils renoncèrent à s'engager dans le sentier non éclairé qui menait directement au réservoir. Ils durent emprunter une route goudronnée et enjamber un muret pour regagner le terrain vague. Il y avait moins de monde, et l'atmosphère était manifestement tendue.

— Putain, qu'est-ce qu'ils foutent ici ? gronda Max, mal à l'aise, en jetant un regard anxieux vers un groupe de quatre garçons de seize à dix-sept ans aux carrures de boxeurs amateurs.

James détailla leurs jeans délavés, leurs bottes texanes et les deux filles horriblement vulgaires qui les accompagnaient.

— Ils sont du coin ? demanda-t-il.

— Ouais, ils viennent de la cité de Grosvenor, de l'autre côté du réservoir. En général, ils évitent de traîner par ici.

Hannah, Liza et deux filles inconnues se trouvaient à une cinquantaine de mètres de là. Max et James coururent à leur rencontre.

— Est-ce que tout va bien ? demanda ce dernier.

Hannah semblait nerveuse.

— Vous pouvez nous raccompagner ? Ces fouteurs de merde, ils me fichent les jetons.

— On va à la maison des jeunes ? ajouta Liza.

— Arrête, c'est complètement nul, protesta l'une des inconnues. Tu veux vraiment passer la soirée avec des gamins de dix ans qui braillent et se bastonnent à coups de raquette de ping-pong ? Je préférerais traîner dans la cité.

— Pas de problème, dit Max. Les connards de Grosvenor ne viendront pas sur notre territoire.

— Pourquoi ? demanda James.

— Parce qu'ils se feraient démonter la tronche.

— Tu veux aller où, James ? interrogea Hannah.

— Je sais pas trop. C'est comme vous voulez. Je connais pas le quartier.

— Y a rien à foutre dans le coin, marmonna Liza. Et le samedi soir, c'est pire que tout. J'en peux plus d'attendre d'avoir l'âge d'aller en boîte.

— Et de t'envoyer en l'air avec un *chippendale*, gloussa une fille.

— Vous êtes vraiment dans la misère, les copines. Moi, maintenant, j'ai James. Franchement, vous le trouvez pas craquant ?

Ses trois camarades éclatèrent de rire. James, soulagé de constater que son amie ne lui tenait pas rigueur de l'avoir délaissée pour aller faire le plein d'alcool, glissa une main dans son dos.

— Eh ! vous avez l'air de bien vous marrer, fit une voix.

James tourna la tête et constata que deux garçons de la bande de Grosvenor se tenaient derrière lui. Le plus grand arborait fièrement une barbe naissante, fine et éparse. Considérant ses muscles saillants, James conclut qu'il était préférable d'éviter toute confrontation physique.

— Je crève de soif, dit le chef de bande. Vous avez des

bières, à ce que je vois. Je suis sûr que vous êtes du genre à partager.

— Vous inquiétez pas, on va pas tout vous piquer, ajouta son complice.

Max leur adressa un regard assassin.

— Pourquoi vous allez pas à la boutique, au lieu de taxer tout le monde ?

— Oh, eh, tu nous traites de clodos ou quoi ?

— La vache, c'est hyper blessant... ricana son complice avant de pointer un index en direction de Max. Eh, t'as vu ? C'est le fils du gros porc qui tient le *King of Russia*.

— Quoi ? Tu veux dire que son paternel a un pub plein de gnôle et qu'il refuse de nous refiler deux canettes ? C'est vraiment pas classe.

Sur ces mots, le garçon bondit en avant pour saisir le sac qui contenait le pack de bière. Max fit un pas en arrière.

— Dégage, lança-t-il d'une voix mal assurée.

— Ouah, t'en as dans le pantalon, gamin, gloussa son adversaire.

Hannah tira James par le bras et chuchota à son oreille :

— Laisse tomber. Ces mecs savent se battre. Ça vaut pas le coup de risquer sa peau pour quelques canettes.

James, refroidi par l'incident qui s'était produit au campus deux mois plus tôt, était disposé à ravaler sa fierté. Il plongea la main dans le sac en plastique et en sortit deux canettes.

— Tenez, c'est pour vous.

— Finalement, je crois qu'on va prendre les six, si ça te dérange pas. Je suis complètement déshydraté, et j'ai pas trop apprécié la remarque de ton pote.

— Sauf si vous préférez une bonne raclée, ajouta son camarade en collant sa poitrine contre le menton de James.

— Laisse tomber, gémit Hannah.

James jeta un coup d'œil inquiet à Max. Il éprouvait le sentiment dérangeant que la bande de Grosvenor cherchait à les humilier devant les filles. S'il cédait à leurs exigences, ils les dépouilleraient de leur argent, puis les passeraient à tabac, par pur sadisme. Il fallait à tout prix remettre les pendules à l'heure, et le plus tôt serait le mieux.

— Vous savez quoi ? dit-il sur un ton parfaitement détendu. J'ai essayé d'être sympa avec vous, mais finalement, vous n'aurez rien.

Aussitôt, le voyou qui se tenait face à lui leva le coude, bien décidé à le frapper au visage. James saisit son T-shirt à deux mains, le tira vers l'avant et lui adressa un coup de boule magistral. Sa victime tituba en arrière, puis s'écroula dans l'herbe, les mains plaquées sur son nez sanguinolent.

Le barbu plongea en avant et attrapa James à la taille. Ce dernier empoigna son bras et lui imprima une torsion atrocement douloureuse. James ignorait si les autres membres de la bande de Grosvenor avaient l'intention de se mêler à la bataille mais, dans le doute, il devait mettre au plus vite l'un de ses ennemis hors d'état de nuire. Il tira sèchement sur le bras du voyou, puis écrasa sa paume juste au-dessus du coude, pulvérisant os et tendons.

James avait répété cette attaque des centaines de fois, mais il ne l'avait jamais mise en œuvre en condition réelle. Tandis que son adversaire poussait un hurlement déchirant, il éprouva un sentiment étrange, mélange d'écœurement et de satisfaction de constater l'efficacité de l'entraînement reçu au campus.

Il avait tiré sur un homme, dix mois plus tôt, mais n'importe qui aurait pu faire de même. La sensation de briser un membre sans produire le moindre effort, un acte pourtant moins lourd de conséquences, était difficile à supporter.

Les deux autres membres de la bande s'avancèrent vers James, encouragés par les cris haineux des filles qui les accompagnaient. Désireux d'éviter l'affrontement, il décida de porter son attaque sur le plan psychologique. Il tendit la main, désignant les garçons étendus sur la pelouse.

— Vous en voulez aussi, les mecs ? gronda-t-il. Allez, approchez. Y en aura pour tout le monde.

À son grand soulagement, ses adversaires s'immobilisèrent. L'une des filles s'accroupit au chevet du garçon au bras cassé.

— Vous devriez appeler une ambulance, ajouta-t-il d'une voix pleine de défi.

La petite foule qui s'était formée autour des belligérants se dispersa sur-le-champ.

— Tirons-nous avant que ces salauds reviennent avec des renforts, chuchota Hannah en le tirant par le bras.

Max, James et les filles s'engagèrent dans la pente menant à la cité.

— Où tu as appris à faire ça, James ? demanda le garçon. C'était complètement dingue. Je te jure, on se serait cru dans *Terminator*. Et ce bruit horrible quand tu lui as pété le bras. Ça m'a fait penser au craquement d'une cuisse de poulet rôti...

Ces propos enthousiastes laissèrent James de marbre. Ses camarades couraient beaucoup trop lentement à son goût. L'entraînement reçu à CHERUB et les innombrables tours de piste que lui avait valus son comportement avaient fait de lui un véritable coureur de fond.

— Allez, dis-moi où tu as appris à faire ça ? répéta Max, les yeux écarquillés.

Son visage exprimait un mélange d'admiration, de crainte et de respect.

— J'ai été placé chez un prof de karaté, une fois.

— Tu pourras me montrer un ou deux trucs ?

— Laisse tomber, ça prendrait des mois, dit James, inquiet de constater que les filles perdaient du terrain.

Un concert de sirènes s'éleva dans la nuit. Ce n'était pas bon signe. À l'évidence, des voitures de police avaient accompagné l'ambulance.

À deux cents mètres en contrebas, aux abords de la cité, James aperçut le faisceau d'une lampe torche. Des silhouettes détalaient dans tous les sens.

— Les flics ! s'exclama Liza. Qu'est-ce qu'on fait ?

— Soit on se cache dans les buissons, soit on retourne sur nos pas et on passe par la route, suggéra Max.

— Arrêtez de courir, trancha James. Faites comme si de rien n'était.

— Tu ferais mieux de te débarrasser de la gnôle.

James poussa un profond soupir, puis lança le sac contenant les bouteilles d'alcool dans un taillis.

— Il y a un autre endroit où les jeunes traînent, dans le quartier ?

— Ouais, le terrain de jeux, répondit Liza.

— Parfait. Si les flics nous posent des questions, on dira qu'on a passé la soirée là-bas.

— Tu as du sang sur le front, murmura Hannah.

James s'immobilisa. Son amie humecta le coin d'un Kleenex avec de la salive et nettoya son visage. Ils se remirent en route et marchèrent droit vers les policiers. Ces derniers venaient de laisser filer un petit groupe de jeunes après un bref interrogatoire.

— Bonsoir, dit poliment une femme en uniforme. Je peux vous poser quelques questions ?

— Il s'est passé quelque chose ? demanda innocemment Hannah.

Un flic d'origine indienne braqua sa lampe dans leur direction.

— Salut, sergent Patel, lança Max.

— Salut, petit, répondit l'homme. Tu n'as pas recommencé à faire des bêtises, j'espère ?

— Bien sûr que non, balbutia le garçon.

— Vous venez d'où, comme ça ? demanda la femme.

— Du terrain de jeux, répondirent en chœur Hannah et Liza.

— Vous êtes sûrs de ne pas avoir traîné là-haut, près de la rivière ?

Elles secouèrent la tête.

— On nous a informés que des garçons de Grosvenor étaient tombés dans une embuscade. Apparemment, ils se sont fait salement tabasser. L'un d'eux a le bras cassé. Si vous mentez, je vous garantis que vous allez avoir de très sérieux ennuis. Je vais vous donner une seconde chance. Vous êtes sûrs que vous n'étiez pas à la rivière ?

— Oui, mademoiselle, lancèrent les filles, au grand soulagement de James.

— Je vais devoir noter vos noms et vos adresses. Il se pourrait que vous soyez convoqués ultérieurement.

Elle sortit un calepin de sa poche et se tourna vers Hannah. La jeune fille déclina docilement son identité.

— À toi, petit.

— James Robert Holmes, dit-il. Appartement seize, bâtiment six, cité Palm Hill.

— Et ton code postal ?

— Euh, je me rappelle plus…

— Tu ne connais pas ton code postal ? Depuis quand tu habites ici ?

— Je suis arrivé ce matin.

— Ah, vraiment ?

— C'est vrai, dit Max. Il est sur le même palier que moi. Je peux le garantir.

Leur interlocutrice ne semblait pas convaincue.

— Ton numéro de téléphone ?

— La ligne n'a pas encore été ouverte.

— Et tes parents ? Ils ont bien un portable où on peut les joindre ?

— Ils sont morts. C'est mon grand frère qui s'occupe de moi, mais il doit pas être à la maison.

— Alors comme ça, tu es arrivé ici aujourd'hui, et tu vis

avec ton frère qui, comme par hasard, est injoignable. Il a quel âge, au fait ?

— Dix-sept ans. Légalement, je suis censé être placé dans une famille d'accueil, mais j'ai reçu l'autorisation d'habiter chez lui.

À l'évidence, la femme ne croyait pas un mot de ces explications. Elle le dévisagea longuement puis s'exclama :

— Eh, c'est quoi ce truc sous ton menton ?

— Où ça ? demanda James.

Elle approcha sa lampe torche de son visage.

— Nom de Dieu, c'est une goutte de sang ! Tu peux m'expliquer comment elle est arrivée là ?

James sentit ses tripes se nouer.

— C'est pas sa faute ! hurla Hannah. C'était pas une embuscade. C'est eux qui ont commencé !

— Ouais, c'est vrai, ajouta Liza. Ils étaient deux fois plus grands que lui !

— Eh, un peu de calme ! dit la femme, le sourire aux lèvres, avant de se tourner vers son collègue.

— Michael, passe les menottes à ce gamin et appelle un véhicule en renfort. On embarque tout ce petit monde pour interrogatoire.

— C'est cette demi-portion qui a fait le coup ? s'étonna Patel.

James était furieux contre lui-même. Il se reprochait de s'être fait coincer pour un stupide oubli de code postal. En outre, Hannah avait décliné le sien dix secondes avant qu'il ne soit interrogé, et c'était forcément le même…

— Viens par ici, ordonna Patel sur un ton blasé, en tirant une paire de menottes de sa ceinture. Et joue pas au malin, je suis pas d'humeur.

James s'exécuta, la tête basse. Le policier serra les bracelets métalliques autour de ses poignets, puis lui lut ses droits d'une voix monocorde en le poussant vers la voiture de service.

— ... *vous avez le droit de garder le silence, et tout ce que vous direz pourra être retenu contre vous devant le tribunal...*

James, qui avait été arrêté à de nombreuses reprises, connaissait ces mots par cœur. Lorsqu'il baissa la tête pour se glisser à bord du véhicule, le policier le saisit par la nuque et lui cogna violemment le crâne sur le toit de métal. Il vit des taches de lumière danser devant ses yeux puis s'effondra sans connaissance sur la banquette arrière.

— Je vais prendre soin de toi, espèce de petit con, gronda le sergent Patel avant de claquer la portière.

17. Rien d'illégal

À l'aube, James se réveilla sur la couchette en matière plastique d'une cellule de garde à vue aux murs couverts de graffiti. Saisi de vertige, il se traîna péniblement jusqu'aux toilettes en aluminium et se vida la vessie. Il passa une main dans ses cheveux et sentit une petite coupure, à l'endroit où son crâne avait heurté le toit de la voiture de Patel.

Il remonta sa braguette, marcha jusqu'à la porte métallique et enfonça le bouton d'appel. Une minute plus tard, un officier de police entrouvrit le judas. C'était un homme filiforme, aux dents jaunies et aux cheveux roux. Il semblait d'humeur joviale.

— Vous pouvez tirer la chasse d'eau ? demanda James.

— Ça marche, fiston. Tu veux prendre ton petit déjeuner ?

— Qu'est-ce qu'il y a au menu ?

— Petit déjeuner anglais complet, bacon ou saucisses, œufs brouillés, toasts, confitures et beurre frais.

Encore ensommeillé, James mit plusieurs secondes à réaliser que le policier se payait sa tête.

— Je prendrai ce que vous avez, dit-il. Je crève la dalle.

Quelques minutes plus tard, le flic glissa par le passe-plat un plateau en plastique gris ainsi qu'un gobelet rempli de thé au lait.

— Qu'est-ce qu'on va faire de moi, maintenant ?

— Vu que tu es mineur, on ne peut ni t'interroger ni te relâcher avant d'avoir vu tes parents ou ton tuteur.

À son arrivée au poste de police, lorsque l'officier établissant la prise en charge lui avait demandé les coordonnées de son éducatrice, James avait communiqué un numéro local redirigé automatiquement vers le poste d'urgence de la salle de permanence du campus. À l'évidence, en ce dimanche matin, aucun cadre de CHERUB n'était pressé de quitter son lit pour le tirer d'affaire.

James avala un petit paquet de céréales et un gâteau caoutchouteux coiffé de fruits confits multicolores. Il espérait que Lauren ne serait pas tenue informée de l'incident de la veille, car il doutait de parvenir à la persuader que les circonstances de la mission l'avaient contraint à briser sa promesse de ne plus recourir à la violence. Il avalait sa dernière gorgée de thé lorsqu'il entendit une clé tourner dans la serrure.

— Tu rentres à la maison, petit, lança le policier avant de poser sur le lit la boîte en plastique qui contenait ses affaires personnelles.

— Je n'ai même pas été interrogé ? s'étonna James en chaussant ses baskets.

Il fourra ses clés, son mobile et son argent dans les poches de son pantalon.

— Tes copains ne t'ont pas balancé, et les deux victimes ont refusé de nous fournir un signalement. La bonne vieille loi du silence, quoi.

— Cool.

— Je serais moins détendu à ta place, dit le flic en poussant James hors de la cellule. Quand ces mecs te retrouveront, tu vas comprendre ta douleur.

...

C'est à John Jones qu'était revenue la corvée de sortir James de prison. Cet ancien agent du MI5 exerçait les fonctions de contrôleur de mission à CHERUB depuis moins d'un an. Il

exhiba une fausse carte officielle où figurait l'inscription
« *Services sociaux, Londres, district de Tower Hamlets* ».

— Pourquoi c'est tombé sur toi ? demanda James tandis
qu'ils s'éloignaient du poste de police dans le petit matin
pluvieux.

— Zara a deux gosses, expliqua John, et elle ne les voit déjà
pas très souvent. Je ne pouvais vraiment pas la réveiller à
quatre heures du matin pour fabriquer des faux papiers et
rouler jusqu'à Londres. En plus, elle est contrôleuse en chef,
et cette mission n'a rien de très prestigieux.

— C'est toi qui vas la superviser, maintenant ?

John hocha la tête.

— Le prix de mes péchés, sans doute.

— Désolé de t'avoir tiré du lit au milieu de la nuit.

— Ça va, je survivrai. J'ai participé à ma première mission
d'infiltration bien avant ta naissance, James. Ce n'est pas la
première fois que je passe une nuit blanche, et je suis prêt à
parier que ce n'est pas la dernière.

Ils prirent place dans l'une des voitures de service de
CHERUB, une Vauxhall Omega noire. James eut la surprise de
trouver Millie Kentner recroquevillée sur la banquette
arrière.

— Salut, lança-t-il.

— John, tirons-nous d'ici avant que quelqu'un du commissariat ne me reconnaisse.

Quelques minutes plus tard, le contrôleur de mission gara
le véhicule dans une rue peu passante, à quelques centaines
de mètres de la cité.

— Alors, James, qu'est-ce qui s'est passé ? demanda
Millie, visiblement sur les nerfs.

James était surpris par le ton cassant de la jeune femme.

— Deux tarés sont venus chercher les embrouilles. J'ai tout
fait pour éviter que ça dégénère, mais ils ne m'ont pas laissé le
choix.

Millie afficha une moue contrariée.

— Tu ne crois pas que j'ai assez de problèmes comme ça avec les voyous du quartier ? Maintenant, la guerre risque d'éclater entre Palm Hill et Grosvenor.

— Eh ! j'y suis absolument pour rien. Tu as bossé à CHERUB, toi aussi. Tu devrais savoir comment ça se passe. Pour approcher une cible, il faut se faire respecter.

— Je sais bien, mais, *par pitié*, essaye de te souvenir que tu es ici pour m'aider à me débarrasser de Tarasov et à rendre Palm Hill plus vivable.

— Au fait, c'est qui, le flic indien qui m'a arrêté ?

— Michael Patel. Quel est le problème ?

— Ce type est un psychopathe. Il m'a cogné la tête contre le toit de la voiture. J'ai une de ces migraines.

Millie semblait incrédule.

— Ça doit être un accident.

— Mais oui, bien sûr… dit James. Vise un peu ça.

Il pencha la tête pour que son interlocutrice puisse examiner sa plaie au cuir chevelu.

— Eh, ça m'a l'air sérieux, s'inquiéta John. Tu devrais peut-être te faire examiner ?

— C'est bon, j'ai connu pire.

— Comme tu veux. Millie, est-ce que Patel a la réputation de tabasser les suspects ?

— Absolument pas, s'indigna la jeune femme. Michael est mon adjoint dans l'unité de police de proximité. Il est chargé des relations avec la communauté indienne. En quatre ans, il a obtenu des résultats exceptionnels.

James n'en croyait pas ses oreilles.

— Tu écoutes ce que je te dis ou quoi ? hurla-t-il. Ce connard a essayé de me défoncer le crâne !

— James, je connais très bien Michael Patel. Je sais que c'était un accident.

— Millie, tu as peut-être bossé à CHERUB il y a vingt ans,

mais aujourd'hui, tu raisonnes vraiment comme un flic. Pourquoi je te mentirais ? T'es complètement bornée, ma parole !

— Eh ! cria-t-elle sous le choc. Je te conseille sérieusement de surveiller ton langage !

— James, intervint John, tu ne lui parles pas comme ça !

— Et voilà, comme d'habitude, soupira le garçon. Les poulets se serrent les coudes.

— Vous allez la fermer, à la fin ? hurla le contrôleur de mission. Je ne prends le parti de personne, compris ? Tout ce que je sais, c'est que cette mission ira droit dans le mur si vous n'arrivez pas à vous entendre. James, je comprends que ça peut te sembler difficile, mais je t'ordonne d'obéir à Millie et d'éviter de te faire remarquer. Et toi, Millie, quand tu travailles avec un agent de CHERUB, je te demande de le respecter et d'écouter ce qu'il a à te dire.

— Michael est mon meilleur collaborateur, répondit la jeune femme.

— Dans ce cas, j'imagine que tu me laisseras étudier son dossier personnel afin de vérifier qu'il n'a pas fait l'objet de plaintes par le passé.

Millie leva les mains en signe de reddition.

— OK, OK, si ça peut calmer les choses. Mais je connais mes hommes, tu sais. Je suis la marraine de la fille de Michael, bordel !

John esquissa un sourire.

— Peut-être qu'il avait passé une soirée difficile. Le travail de flic peut être extrêmement stressant, parfois.

— Et maintenant, qu'est-ce qu'on fait ? demanda James.

— Tu sauras retrouver le chemin de la cité ? dit John.

— Ouais, je crois.

— Alors tu vas rentrer à pied. La mission se poursuit comme prévu. Essaye d'approcher les Tarasov. Je vais raccompagner Millie avant de rentrer au campus.

La jeune femme lui adressa un sourire conciliant. James, le visage fermé, descendit du véhicule.

— Je vous appelle ce soir, dit-elle.

— Génial, lança James sur un ton ironique, avant de claquer violemment la portière et de s'éloigner sous la pluie.

•:•

— Dave, t'es là ? cria-t-il en entrant dans l'appartement.

Attiré par le braillement d'une radio, il s'engagea dans le couloir menant à la cuisine.

— Millie Kentner est vraiment une sale…

Alors, il tomba nez à nez avec Sonya Tarasov. Elle portait le peignoir blanc de Dave. Ses cheveux étaient humides.

— Je suppose que tu es James, dit-elle, tout sourire.

— Euh, ouais, balbutia-t-il, mal à l'aise. Où est Dave ?

— Sous la douche. Il sera là dans une minute. Tu veux du thé ou du café ?

James s'assit à la table de la cuisine.

— Tu as passé la nuit ici ? demanda-t-il.

Sonya posa un *mug* devant lui.

— Ouais, ouais, répondit-elle, une expression de gêne feinte sur le visage. Alors, il paraît que tu t'es fait pincer par les flics avec mon petit frère Max ?

James hocha la tête.

— Un tas de gens se sont fait ramasser.

Dave entra en boutonnant la braguette de son jean.

— Salut, le taulard ! lança-t-il avant d'attraper Sonya par la taille et de l'embrasser dans le cou de façon très démonstrative.

Il savait que James détestait ce genre d'exhibition.

— Qu'est-ce qui ne va pas, frangin ? On a passé la nuit ensemble, et alors ? On a tous les deux plus de seize ans, on n'a rien fait d'illégal.

James, les yeux rivés sur son *mug*, se tordait les mains sous la table. Il éprouvait une sensation dérangeante à l'idée de se trouver en présence de deux personnes qui s'étaient envoyées en l'air une bonne partie de la nuit. Une impression comparable à trouver un cheveu sur sa langue et s'apercevoir qu'il n'est pas à soi…

— Je vais prendre une douche, dit-il. L'odeur de la cellule me colle à la peau.

Un coup de sonnette retentit. Il marcha jusqu'à l'entrée, reconnut la silhouette derrière la vitre dépolie et ouvrit la porte.

— Salut, Max. Alors, comment ça s'est passé pour toi et Liza ?

— Ils nous ont interrogés un par un. On a tous donné la même version.

— Ce taré de Patel m'a éclaté la tête contre le toit de la bagnole.

— Celui-là, c'est un vrai connard. Il se la joue super cool quand il passe aux informations, mais y a des tas d'histoires qui circulent à son sujet.

— Quoi, par exemple ?

Max haussa les épaules.

— Oh, je sais pas trop… Il paraît qu'il distribue facilement les baffes. Rien de très méchant, tu vois, mais disons qu'il a la réputation d'avoir la main un peu lourde.

— Ton père t'a pas engueulé ?

— Non, pas vraiment. Ça l'a un peu gonflé de devoir quitter le pub pour venir nous chercher, mais il peut pas encadrer les mecs de Grosvenor.

— Ah bon ? pourquoi ?

— Ils foutaient souvent la merde, avant, sur High Street. Ils ont pété les vitrines du pub plusieurs fois. En plus, mon père pense qu'ils ont piqué une caisse dans sa concession. Dis, mes potes et moi, on se fait un petit match de foot tous les dimanches matin. La pluie s'est arrêtée. Ça te dirait ?

— Maintenant ? Ben, j'allais prendre une douche. Ça me dégoûte de penser aux ivrognes et aux clodos qui ont dormi dans cette cellule avant moi...

— Pas de problème. Tu sais où est le terrain ? Retrouve-nous dès que tu es prêt.

— Faut que je te dise... je suis pas très doué pour le foot.

— Merci du tuyau, dit Max en souriant. Je m'arrangerai pour que tu ne sois pas dans mon équipe. Allez, à plus.

James ferma la porte. Lorsqu'il passa devant la cuisine, il remarqua Sonya qui, à quatre pattes, se glissait hors du placard situé sous l'évier.

— Tu peux m'expliquer ce que tu fous ? demanda-t-il, hilare.

— Je croyais que tu allais te pointer avec Max. Valait mieux qu'il me trouve pas ici.

— Ben, comme dit Dave, ce que vous faites ensemble n'a rien d'illégal...

— Mon père voit pas les choses comme ça.

— Max ne te dénoncerait pas, quand même ?

— Oh, sûrement pas, tant que je lui paye ce qu'il me demande, cette sale petite balance !

•••

James fit plutôt bonne figure sur le terrain de football. Il parvint même à inscrire un but chanceux depuis la ligne médiane. Lorsque les six participants furent à bout de forces, trois d'entre eux allèrent acheter des boissons fraîches au magasin du coin. James, Max et un garçon noir prénommé Charlie s'assirent sur un vieux banc de bois pour échanger des considérations sur le foot, les filles et les événements les plus insolites de leur existence.

Charlie était le genre de garçon dont les anecdotes devaient toujours surpasser celles des autres. James le soupçonnait d'inventer des détails de toutes pièces ou d'en exagérer la dimension. Au fond, il se réjouissait d'avoir affaire à un bavard qui monopolisait la parole. Il préférait pour sa part en dire le moins possible, de crainte de griller son scénario de couverture. Même si la plupart des détails de sa vie d'emprunt avaient été passés en revue lors de la préparation de la mission, il devait constamment improviser, et chaque trouvaille constituait un risque supplémentaire de se contredire.

À midi, Max invita James et Charlie à déjeuner.

— Tu es sûr que ça ne dérangera pas ta mère ? demanda James.

— Tu rigoles. Si elle pouvait, elle nourrirait la terre entière.

18. Surcharge pondérale

L'appartement des Tarasov était strictement identique à celui qu'occupaient James et Dave, à l'exception d'un escalier étroit qui menait à l'étage supérieur. Max conduisit ses camarades jusqu'à la cuisine.

— Salut, maman. J'ai invité deux copains à déjeuner.

James contempla avec incrédulité les monceaux de nourriture entassés dans la cuisine embuée. Les étagères croulaient sous les bocaux, les boîtes de conserve et les sacs de légumes secs. Une impressionnante batterie de casseroles et de poêles était suspendue au mur. Sacha Tarasov était une petite femme au visage rond et pâle. Elle portait un tablier Garfield noué autour de ses larges hanches. Elle adressa aux nouveaux venus un sourire accueillant.

— Ton frère et Léon sont en haut, dit-elle. Sers quelque chose à boire à tes amis, puis apporte-moi du bortsch surgelé. Et pour la centième fois, enlève tes chaussures quand tu es dans la maison.

Max remplit trois verres de Coca, puis les garçons firent un détour par l'entrée pour se déchausser avant d'emprunter l'escalier. Aux murs recouverts d'un papier peint psychédélique étaient suspendues d'affreuses croûtes représentant des animaux sauvages. La moquette était ornée de zigzags et de spirales. Le tout était d'un extrême mauvais goût, mais James appréciait cet appartement plein de bruits et d'odeurs, au mobilier bancal et démodé.

Max guida ses camarades jusqu'au bureau de Léon Tarasov, un obscur cagibi donnant sur le palier. Près de la table jonchée de papiers et de la chaise rustique pivotante trônait le plus grand congélateur de la création. Max souleva le couvercle, exposant d'énormes quartiers de viande et des centaines de barquettes en plastique ornées d'étiquettes rédigées en alphabet cyrillique. James fut agréablement surpris de constater que les cours de russe reçus à CHERUB lui permettaient de déchiffrer la plupart d'entre elles.

— Il y a de quoi bouffer pendant un an ! s'exclama Charlie. Chez moi, au congélo, il doit rester un pot de glace et des nuggets de poulet.

— Ben moi, j'ai même pas de congélo... t'as qu'à voir, dit James.

— T'inquiète, dit Max. Si jamais Dave et toi manquez de quoi que ce soit, demandez à ma mère. Pense simplement à nettoyer les Tupperware avant de les lui rendre.

Sur ces mots, il sortit un plat en pyrex du congélateur.

— Je vais porter ça à la cuisine, dit-il. Allez vous installer au salon. Je vous rejoins dans deux minutes.

La partie supérieure du duplex avait été réaménagée, la cloison séparant les deux chambres abattue pour former un vaste salon. James sentit ses pieds s'enfoncer dans une épaisse moquette turquoise.

Assise sur le sol dans un coin de la pièce, Sonya fit semblant de ne pas le connaître. Dave et Pete Tarasov étaient affalés dans un sofa. Liza, allongée devant la télé, adressa un large sourire à Charlie. Ce dernier s'accroupit à ses côtés, comme un membre de la famille. Léon Tarasov reposait dans un gigantesque fauteuil articulé.

— Tu dois être James, dit-il.

Il s'exprimait avec un accent caractéristique de l'Est londonien mâtiné d'intonations russes. C'était un géant obèse, au crâne chauve, qui portait toute une quincaillerie de bijoux en or. James dut se pencher au-dessus du ventre proéminent pour lui serrer la main. L'homme fourragea dans la poche de sa chemise et en sortit un billet de vingt livres.

— Tiens, petit, voilà ta récompense.

— Qu'est-ce que j'ai fait ? s'étonna James.

— Dix livres pour chaque petit con de Grosvenor que tu as étalé. S'il ne tenait qu'à moi, je déboulerais là-bas avec une batte de base-ball et je m'occuperais personnellement de leur cas.

— C'est bon, papa, gronda Sonya. Arrête de faire ton facho.

Léon lui jeta un regard mauvais. Il pressa un bouton situé sous un accoudoir, et le dossier du fauteuil se redressa.

— Si t'es pas contente, t'as qu'à monter dans un Zodiac et partir sauver des foutues baleines avec tes copains gauchistes !

— Pete et Léon m'ont filé un sacré coup de main, ce matin, dit Dave. Comme je n'arrivais pas à faire démarrer la Mondeo, ils sont venus jeter un coup d'œil. Léon m'a dit qu'il connaissait une casse auto où il pourrait me trouver un compresseur d'occase pour réparer l'air conditionné ainsi que quelques bricoles qui me manquent pour remettre la bagnole en état.

— Je pensais qu'on était à sec, fit observer James. On a besoin du peu qui nous reste pour la bouffe et les meubles.

— T'inquiète pas pour ça, lança Léon. Je connais ce vendeur depuis des années. Il me fera une fleur. Dave, quand j'aurai les pièces, tu pourras utiliser mon parking pour effectuer les réparations. En échange, je te demanderai de me rendre quelques services. J'ai souvent besoin de coups de main, entre la concession et les deux pubs. Je te payerai cinq livres de l'heure.

— Merci beaucoup, monsieur Tarasov. Je travaillerai dur, je vous le promets.

— Comment tu fais pour payer l'assurance de ta bagnole, fiston ? demanda Léon. Pour une Ford Mondeo deux litres, ça doit te coûter les yeux de la tête.

Dave afficha une expression embarrassée.

— Ben… j'ai demandé des devis, mais ça montait à plus de mille livres. J'ai pas du tout les moyens.

Léon secoua la tête.

— Tu devrais faire gaffe. Défaut d'assurance, ça pourrait te coûter cher. Les fils à papa des beaux quartiers s'en tirent généralement avec une amende, mais toi, tu risques de récolter le gros lot, surtout avec tes antécédents.

— T'as un casier, Dave ? demanda Pete.

— Disons que j'ai fait quelques conneries, répondit ce dernier en baissant les yeux.

CHERUB avait soigneusement réglé chaque détail du scénario de couverture de ses agents pour maximiser leurs chances de s'attirer la sympathie de Léon Tarasov. L'état de la Ford faisait partie de ce plan, tout comme le passé de délinquant supposé de Dave et sa situation financière précaire.

— Je me suis fait coincer au volant d'une voiture volée, il y a deux ans, précisa le jeune homme. Je pensais qu'ils allaient me foutre en taule, mais ils m'ont collé dans un centre éducatif où j'ai appris deux trois trucs en mécanique.

James vit une lueur briller dans l'œil de Léon. Il ne put réprimer un sourire. L'entreprise de manipulation montée par CHERUB fonctionnait comme prévu.

— Tu sais, Dave, dit l'homme en croisant ses doigts boudinés, mon frère et moi, quand on a échoué dans ce pays, il y a plus de trente ans, on possédait en tout et pour tout deux paires de bottes en caoutchouc et des combinaisons qui puaient le poisson pourri. Alors, quand je vois des gamins comme toi et James, eh ben, ça me fait quelque chose. Je vais voir ce que je peux faire pour vous aider.

Dave et James échangèrent un regard complice.

— Merci, monsieur Tarasov, dit Dave. Nous vous sommes vraiment très reconnaissants…

·:·

James fixait l'écran de télévision d'un œil vide, les pieds sur la table basse. Cinq heures s'étaient écoulées depuis le déjeuner, mais il avait toujours l'impression que son abdomen était sur le point d'exploser. Il comprenait désormais pourquoi tous les Tarasov souffraient à des degrés divers de surcharge pondérale. Dave surgit dans le salon, une barquette de curry accompagné de pommes de terre épicées dans les mains.

— Comment tu peux encore manger après ce qu'on s'est mis ce midi ? demanda James.

Son coéquipier s'assit à ses côtés.

— Tu plantes la fourchette, tu la soulèves et tu la fourres dans ta bouche. T'en veux un peu ?

Dave fit danser la barquette sous le nez de James.

— *Arrête !* protesta ce dernier. Tu vas me faire dégueuler, et je te jure que si ça arrive, ce sera sur toi !

— T'en prends pas à moi, espèce de morfale. Tu t'es enfilé une plâtrée de bortsch, une centaine de travers de porc, une brouette de légumes et trois parts de gâteau. Le même régime que Léon, qui doit peser dans les cent vingt kilos.

James repensa au gâteau aux carottes de Sacha et sentit son estomac se soulever. Il ne parvenait pas à comprendre comment cette pâtisserie, qui lui avait semblé délicieuse quelques heures plus tôt, s'était changée aussi rapidement en vision d'horreur.

— T'as vraiment pas l'air dans ton assiette, ricana Dave tout en mastiquant bruyamment une bouchée de pommes de terre. Dis-moi, qu'est-ce qui te ferait plaisir, à cet instant précis ? Des œufs au plat ? Un bon gros crumble ? Tiens, qu'est-ce que tu dirais d'un steak haché, bien cru au milieu, avec du sang tiède qui dégouline quand tu mords dedans ?

— C'est pas drôle, gémit James. Tu peux la fermer et me laisser regarder la télé, maintenant ?

Dave éclata de rire.

— Me dis pas que tu regardes *vraiment* les émissions religieuses ? T'es en pleine crise mystique ou quoi ?

James haussa les épaules.

— Y avait un documentaire sur les hippopotames, tout à l'heure. Je crois que j'ai paumé la télécommande entre les coussins, mais j'ai tellement bouffé que je peux plus bouger.

Dave se tordit de rire. James avait parfaitement conscience du ridicule de la situation.

— Je t'en supplie, arrête de te foutre de ma gueule, sourit-il en se frottant le ventre. Je crois que je vais crever.

— Tu vas quand même pas me planter en pleine mission ? Je crois qu'il y a des pastilles Rennie dans la trousse de soins que nous a filée Zara. Elle est dans la salle de bains, sur la tablette au-dessus du lavabo.

19. Supertanker

Le réveil de James sonna à huit heures. Quelques minutes plus tard, alors qu'il enfilait son caleçon et son T-shirt, un coup de sonnette retentit. Il s'engagea dans le couloir et trouva Dave planté devant la porte ouverte, l'air interloqué.

— Bonjour, monsieur Tarasov, dit le jeune homme.

— Pas de ça entre nous, fiston. Appelle-moi Léon.

— Je ne comprends pas... Vous m'aviez demandé de vous retrouver à la concession.

— J'ai une proposition à vous faire. Un travail facile. Je peux entrer une minute ?

Dave avait les yeux rouges et les traits gonflés.

— Eh bien, euh... oui... bien sûr, faites comme chez vous.

Il conduisit Tarasov jusqu'au salon. Aux yeux de James, la façon dont l'homme engageait son ventre proéminent dans l'encadrement des portes évoquait les lentes manœuvres d'un supertanker dans le canal de Panama, des images aperçues dans un documentaire, en cours d'histoire-géo. Léon se laissa tomber dans le sofa.

— Je préfère vous parler de tout ça en tête à tête, dit-il. Je ne voudrais pas que ça s'ébruite.

— On n'est pas des balances, protesta Dave.

— Je n'ai pas dit ça. C'est juste que les nouvelles circulent un peu trop vite à mon goût, dans le quartier. Vous comprenez ?

— Les murs ont des oreilles, sourit le jeune homme en adressant à James un clin d'œil complice.

— Je sais que vous êtes dans la dèche, les garçons, que vous devez vous débrouiller avec les miettes que vous jettent les services sociaux. J'ai pensé à un truc, hier, avant de m'endormir. Je crois que je pourrai vous filer un coup de main. Je parle d'environ deux mille livres, pour être précis, dès le mois prochain. Ça vous intéresse ?

James et Dave échangèrent un sourire radieux, comme l'auraient fait deux garçons fauchés sur le point de toucher le gros lot.

— Bien sûr qu'on est intéressés ! s'exclama Dave.

— Formidable. Évidemment, comme vous vous en doutez, c'est pas une combine très légale, mais en revanche, c'est du tout cuit. J'ai des contacts dans pas mal d'entreprises de nettoyage à domicile du pays. Leurs clients sont des connards friqués qui ne veulent pas s'emmerder à employer une femme de ménage à plein temps. Ils se contentent de signer un contrat, et une employée se pointe plusieurs fois par semaine, pendant qu'ils sont au bureau, pour nettoyer leur piaule. À cette époque de l'année, ils se payent de longues vacances au soleil, et ils suspendent leur abonnement. Du coup, mes complices disposent des clés et des codes d'alarme. Moi, ce qui m'intéresse, c'est la bagnole de luxe qui dort dans leur garage.

— Et quelque chose me dit qu'elle ne sera plus là à leur retour... conclut Dave.

— Tu comprends vite, acquiesça Léon. Je recherche des voitures pratiquement neuves, faciles à revendre en Europe de l'Est. Voilà comment je procède : dès qu'on me refile les clés et les codes d'une maison, un de mes types va la fouiller discrètement. Son rôle, c'est de trouver les clés de la bagnole et de les laisser sur la portière. Le lendemain, j'envoie des gamins dans votre genre pour pénétrer dans la baraque par effraction et se tirer avec la caisse dès que l'alarme se déclenche, bien avant que les flics n'aient le temps d'intervenir.

— Pourquoi on n'utilise pas les clés et les codes, tout simplement ? demanda James.

Dave lui jeta un regard méprisant.

— Parce qu'il serait évident qu'on a un complice dans l'entreprise de nettoyage.

— OK, répondit son coéquipier, réalisant qu'il avait manqué de vivacité d'esprit. J'ai pigé.

— La police ne soupçonne jamais les sociétés en question ? s'étonna Dave.

— On évite de piquer dix bagnoles en une semaine, dans le même quartier, à des clients de la même compagnie, répondit Léon. Les flics n'ont aucun moyen de faire le lien.

— On sera payés combien ?

— Deux cent cinquante livres par voiture.

— Chacun ? demanda James.

— Il n'y a aucune raison de travailler en duo, sur un coup comme celui-là. Vous pouvez bosser ensemble si ça vous chante, mais le tarif reste le même.

Dave se réjouissait d'avoir infiltré aussi rapidement l'organisation criminelle de Tarasov, mais il devait prendre garde à ne pas éveiller les soupçons en acceptant la proposition sans manifester la moindre réticence.

— Le problème, c'est que j'ai un casier. Si je me fais choper une nouvelle fois pour vol de voiture, je risque de tomber pour deux ans.

— Je ne t'en voudrai pas si tu refuses, dit Léon. Moi, je vous fais juste une offre. Cinq ou six coups au cours du mois prochain, histoire de ramasser suffisamment de pognon pour remettre votre caisse en état et aménager votre trou à rats.

— Deux cent cinquante, c'est pas cher payé… Ces caisses valent au moins cent fois plus.

— Eh ! tu oublies mes frais. Je dois arroser tout le monde : l'éclaireur, l'employé de l'agence de nettoyage, le type qui organise le transport des voitures vers l'étranger… Moi, personne ne me fait de prix d'ami. Dans le meilleur des cas, une Mercedes à trente mille livres m'en rapporte à peine cinq mille.

— Merci d'avoir pensé à nous, dit Dave, mais je ne risquerai pas deux ans de ma vie pour moins de quatre cents livres.

— Bon, l'été approche, et je suis un peu à court de main-d'œuvre, concéda Léon. Je suis prêt à monter à trois cents, mais c'est mon dernier mot.

— Trois cent vingt-cinq, et on n'en parle plus.

Léon hocha lentement la tête, puis tendit la main en direction de son interlocuteur.

— Ça marche. Cette discussion n'a jamais eu lieu, c'est bien compris ? Un de mes hommes prendra contact avec vous. Vous trouverez le fric dans la boîte aux lettres une fois le coup effectué. Si vous me reparlez de cette histoire, je ferai celui qui n'est pas au courant, mais je serai de très mauvaise humeur.

— Et si les choses tournent mal ? demanda Dave.

— Je vous donnerai un numéro de téléphone à composer en cas de besoin.

Sur ces mots, Léon se leva péniblement du canapé puis se tourna vers James.

— Ma famille n'est pas au courant de mes affaires. Si tu traînes avec Max ou Liza, tu gardes tout ça pour toi. On est bien d'accord ?

— Compris, dit James, toujours fasciné par les mouvements pachydermiques de Tarasov.

Lorsque Dave et Léon eurent quitté le salon, il se laissa tomber sur le sofa et considéra avec satisfaction la rapide progression de la mission. Soudain, il sentit une main se poser sur son épaule et fit un bond d'un mètre.

— Mon père est parti ?

James tourna la tête et découvrit Sonya Tarasov accroupie sur la moquette, derrière le dossier.

— Eh ! tu m'as foutu une de ces trouilles ! s'étrangla-t-il. Tu es là depuis quand ?

Alors, il réalisa que la jeune fille, les bras croisés devant la poitrine, était nue comme un ver. Un sourire illumina son visage.

— Arrête de mater, espèce de sale petit pervers, gronda-t-elle, furieuse.

— Oh, tu sais, j'en ai vu d'autres, gloussa-t-il.

Dave entra dans la pièce et lança un peignoir à sa petite amie.

— Nom de Dieu, Sonya, je croyais que tu étais encore dans la cuisine.

— Je vais quand même pas passer ma vie à ramper sous l'évier, dit la jeune fille. J'ai le dos en compote, depuis hier.

— Qu'est-ce que vous foutiez à poil dans la cuisine, tous les deux ? s'étonna James. Oh, je vois… Je jure que je ne mangerai plus jamais sur cette table !

Sonya enfila le peignoir, noua la ceinture autour de sa taille puis enjamba le dossier du canapé.

— Dave, je t'en supplie, ne commence pas à tremper dans les magouilles de mon père.

— Il me propose juste un coup de main, Sonya. Tu as vu le taudis dans lequel on vit ? J'ai besoin de fric pour l'aménager, et ça me prendrait cinq cents ans de salaire si je me contentais de travailler dans un supermarché ou dans un fast-food.

— Et si tu te fais coincer ? Ils te foutront en taule, à coup sûr, et James retournera en famille d'accueil.

— Alors je ne me ferai *pas* coincer.

Sur ces mots, il s'approcha de la jeune fille pour poser un baiser sur ses lèvres, mais elle détourna la tête.

— Mon père t'utilise, Dave. S'il avait vraiment l'intention de t'aider, il te proposerait un job dans l'un de ses pubs ou à la concession.

— Je t'aime bien, Sonya, mais on ne se connaît que depuis *deux* jours, et ça ne te donne pas le droit de décider à ma place de ce que je dois faire de ma vie.

— OK, je vois, fais comme tu veux. Mais je te préviens, mon père ne pense qu'à sa gueule, et ne compte pas sur moi pour te rendre visite en prison.

— Écoute, je sais que tu dis ça pour mon bien, mais j'ai besoin de cet argent.

— Mon père ne distribue à ses hommes que de la petite monnaie. L'année dernière, il a fait le plus gros coup de sa carrière. Il a tellement de fric qu'il pourrait se mettre au vert jusqu'à la fin de ses jours.

— Qu'est-ce qu'il a fait ? demanda James sur un ton innocent.

— Ça, il ne nous le dira jamais, mais tout le monde pense qu'il a participé à un énorme braquage.

Le regard de la jeune fille se posa sur l'horloge murale.

— Oh, merde ! Il est huit heures et demie et je ne suis même pas habillée. Je vais arriver à la bourre au lycée.

20. Vertige

Dave s'étant rendu à la concession en compagnie de Pete Tarasov, James passa la journée seul dans l'appartement. Les autorités de CHERUB l'avaient dispensé de s'inscrire au collège du quartier pour les deux jours qui restaient à tirer avant les vacances d'été. En l'absence de Max, de Lisa et des autres ados de la cité, il n'avait aucun moyen de faire progresser la mission. Hélas, parfaitement consciente des quarante-huit heures d'oisiveté auxquelles cette disposition promettait son agent, Zara avait demandé aux professeurs de lui fournir de quoi meubler son temps libre.

Dès le départ de Dave, il avait allumé sa PlayStation et chargé une partie sauvegardée de FIFA 2005. Arsenal dominait le championnat de première ligue avec cinq points d'avance. Il creusa l'avantage en humiliant Chelsea.

Malgré la montagne de devoirs qui lui avait été confiée, il continua à aligner les victoires. Il défit successivement Liverpool, Charlton et Aston Villa. Aux alentours de midi, alors qu'il menait deux à un dans le temps additionnel, la console accorda à Tottenham un coup de pied de réparation parfaitement imaginaire.

— Penalty, mon cul ! hurla James. Ce putain de jeu a été programmé par un fan de Tottenham !

Il donna un violent coup de pied dans la table basse, jeta la manette sur la moquette et enfonça le bouton d'alimentation. Il se rua dans la cuisine et dévora quelques toasts tartinés de

Nutella. À treize heures, il trouva enfin le courage de se mettre au travail.

Étendu sur son lit, il examina avec consternation le devoir exigé par son prof d'histoire. Il aurait pu se sentir vaguement motivé par une rédaction concernant une bataille sanglante, une catastrophe effroyable ou tout événement croustillant ayant émaillé la marche de l'humanité, mais l'idée de gratter mille cinq cents mots et de pondre trois schémas sur le réseau d'égouts londonien à l'époque victorienne le rendait malade. De surcroît, il savait par expérience que Mr Brennan se plaindrait de son écriture de gaucher et lui ordonnerait de tout recopier.

Découragé, il décida de repousser l'échéance et de se tourner vers son devoir de mathématiques, discipline où il excellait sans effort, surclassant l'immense majorité des élèves de son âge. Il ouvrit son livre de cours et expédia l'exercice situé à la fin du chapitre 14F : *Approximation d'une fonction par la méthode des trapèzes.*

Considérant qu'être une bête de maths n'avait rien de particulièrement séduisant aux yeux des filles, il se gardait de toute vantardise en la matière. Pourtant, en son for intérieur, il était extrêmement fier de lui. Il collectionnait les A et son prof lui adressait des sourires complices lorsqu'il le croisait dans les couloirs.

On sonna à la porte. Lorsqu'il atteignit l'entrée, il eut la surprise de distinguer un uniforme de police derrière la vitre dépolie.

— Salut ! s'exclama Millie, tout sourire, lorsqu'il ouvrit la porte. Je suis contente de te trouver là. J'ai essayé de te joindre sur ton portable, mais ça ne répondait pas.

James sortit son téléphone de la poche de la veste de sport suspendue au portemanteau.

— La batterie est à plat. Je ne pense jamais à le recharger.

La femme se glissa d'autorité à l'intérieur de l'appartement.

— Du coup, je me suis dit que j'allais passer, pour une fois, dit-elle en fermant la porte derrière elle. Si les gens du coin te demandent ce que je faisais là, dis-leur que je suis venue t'interroger au sujet de l'incident de samedi soir.

James trouvait Millie canon, malgré les rangers et le gilet pare-balles qui alourdissaient sa silhouette. Elle s'assit dans le canapé puis posa un sac à dos entre ses jambes.

— Je nous ai acheté des sandwiches et des gâteaux, expliqua-t-elle. Tu as déjeuné ?

— J'ai juste avalé quelques toasts, répondit James avant d'examiner le contenu du sac. Je peux prendre le sandwich au saumon fumé ? L'autre est plein de mayonnaise. Je déteste ça.

Millie lui adressa un sourire timide.

— Choisis ce que tu veux. En fait, je crois que j'ai des trucs à me faire pardonner.

— Hein ?

La jeune femme lui tendit une liasse de documents administratifs portant un en-tête identique : *Notification officielle – Ouverture d'une procédure d'enquête concernant des faits disciplinaires*. Le nom de Michael Patel figurait dans le coin supérieur gauche de chaque feuillet.

— Lorsqu'une plainte est déposée contre un policier, une copie de ce formulaire est adressée à l'intéressé. L'autre part au fichier central. Tous les flics y passent un jour ou l'autre. Moi-même, ça m'est arrivé à deux reprises. À chaque fois, l'enquête a prouvé qu'il s'agissait d'accusations infondées portées par des suspects dont j'avais supervisé l'arrestation.

James compta le nombre de formulaires.

— OK, mais là, il y en a huit.

Millie hocha la tête.

— Ça fait beaucoup, mais aucune n'a débouché sur une sanction. Les policiers d'origine étrangère sont davantage l'objet de plaintes que les autres.

James hocha la tête.

— Ils sont victimes de racisme ?

— Exactement. Seulement, dans le cas de Michael, il y a quelque chose qui cloche. Regarde la case 7 des deux formulaires dont j'ai surligné le numéro.

— *Agression sur suspect mineur survenue dans la cellule de garde à vue du poste d'Holloway*, lut-il à haute voix.

Il déchiffra le second document :

— *Agression sur mineure survenue lors de son arrestation. La victime aurait souffert d'un choc contre le toit du véhicule de police ayant entraîné une commotion cérébrale et une coupure au cuir chevelu nécessitant la pose de trois points de suture.*

— Aucune de ces accusations n'a donné lieu à des poursuites, faute de preuves formelles. C'était la parole de Michael contre celle de ses accusateurs. Les deux plaintes datent d'il y a environ cinq ans, mais quand même…

James mordit dans son sandwich.

— La deuxième plainte fait beaucoup penser à ce qui m'est arrivé.

— Je sais. Quand j'ai vu ça, je suis restée sidérée. Je m'excuse de t'avoir traité de menteur devant ton contrôleur de mission. Je suis vraiment, vraiment désolée.

— Tout le monde peut se tromper. Demande à ce garçon de onze ans que j'ai tabassé…

— Ce n'est pas tout. Tu te rappelles quand tu as dit que je soutenais Michael parce que c'était un collègue ? J'ai bien réfléchi, et je dois reconnaître que tu avais raison. La police n'a pas bonne réputation, tu sais. Les délinquants nous haïssent, ça, c'est parfaitement logique. Les gens qui se tiennent tranquilles n'ont affaire à nous que dans des situations de stress intense, comme les accidents de voiture et les cambriolages, et ils n'acceptent pas l'idée qu'on ne puisse pas envoyer toute la Criminelle pour retrouver leur poste de télé ou le chauffard qui les a balancés dans le fossé. Tout le monde s'en prend à nous, et on finit par devenir un peu paranos. On se serre les coudes parce qu'on ne peut vraiment compter que sur nous-mêmes.

— Dès que j'aurai avalé ce sandwich et ce gâteau au chocolat, je te promets que je ne t'en voudrai plus du tout.

— Tu es sympa, James. Je n'ai pas encore informé John de mes découvertes concernant Michael Patel, et pour être tout à fait franche, ça me gonfle de devoir admettre que je me suis comportée comme une imbécile. Je vais te laisser ces formulaires. Tu les montreras à Dave quand il rentrera, mais assure-toi de ne pas les laisser traîner.

— Tu veux que je te fasse du thé ? demanda James.

Millie consulta sa montre.

— Ne perdons pas de temps. J'ai une réunion au poste de police dans une demi-heure et il y a autre chose que je veux te montrer.

Elle tira une nouvelle feuille de son sac.

— Dave m'a appelée ce matin pour me rapporter ce que Sonya vous a dit à propos de Léon et de sa participation à un important braquage. Voilà une liste des affaires non élucidées qui ont eu lieu entre mars et juillet de l'an dernier. Il y en a quatre-vingt-six, mais, d'après nos calculs, Léon a claqué au moins deux cent mille livres pour payer ses dettes et acheter le deuxième pub. Ça nous laisse quatre possibilités.

— Léon pourrait avoir participé à chacun de ces braquages ?

Millie secoua la tête.

— Je ne crois pas. Dans trois des cas, les flics de la Criminelle croient tenir leurs suspects, mais ils n'ont pas suffisamment de preuves pour procéder à des arrestations. La quatrième affaire concerne l'attaque d'un fourgon blindé qui transportait trois millions de livres en coupures usagées destinées à être détruites. C'était une opération hypersophistiquée, qui a dû exiger la participation de complices à l'intérieur même de la Banque du Royaume-Uni.

— Tarasov n'a pas vraiment le profil.

— On est d'accord. Si tu veux mon avis, Léon a fait courir la rumeur qu'il avait participé à un braquage, mais c'est un rideau de fumée. Il n'y a qu'un moyen pour un minable dans son genre de ramasser deux cent mille livres en si peu de temps.

— Trafic de drogue ?

— Tu lis dans mes pensées.

•.•

Il ouvrit son cahier d'exercices, ôta le bouchon de son stylo, inscrivit son nom, le sujet du devoir, puis rédigea le premier paragraphe d'une traite :

Pendant la période victorienne, il y avait des ordures plein les rues de Londres. Les habitants attrapaient des ~~vieilles~~ maladies aujourd'hui disparues comme la malaria, la peste et la fièvre ~~tifo-hide~~ typhoïde, qui étaient ~~transmissibles~~ contagieuses. Au bout d'un moment, les Victoriens ont construit des égouts et des tuyaux pour l'eau ~~courrante~~ courante, et la santé des gens s'est améliorée.

James compta soixante mots, y compris ceux qu'il avait rayés. Il ajouta « *noire* » à la suite de « *peste* » et « *gravement* » devant « *contagieuses* », puis réalisa qu'il lui restait mille quatre cent trente-huit mots à gratter. Vaincu par le sentiment désespérant d'avoir totalement épuisé le sujet, il prit la décision de se connecter à Internet afin de siphonner purement et simplement le contenu d'un site dédié à l'histoire de Londres. Au moment où il se penchait sous le lit pour saisir le sac de sport contenant son ordinateur portable, la sonnette retentit.

Hannah, vêtue d'une jupe grise, d'un collant blanc, d'une veste vert amande et d'une cravate rayée, se tenait sur le seuil de la porte.

— Fais-moi entrer, *vite*, chuchota-t-elle.

James s'écarta pour la laisser passer puis referma la porte derrière elle.

— Qu'est-ce qui t'arrive ?

— Tu as une copine, James ?

Il secoua la tête.

— Non, mais je ne comprends pas ce que…

Avant qu'il n'ait pu achever sa phrase, Hannah passa les bras autour de son cou et l'embrassa fougueusement.

— Qu'est-ce que c'est que cet uniforme bizarre ? demanda-t-il lorsque la jeune fille se décida à desserrer son étreinte.

— Je déteste porter ce truc. J'ai été virée du collège après la mort de Will, alors mes parents m'ont inscrite dans un bahut privé. C'est quoi, ton numéro de portable ?

Hannah saisit un stylo dans le vide-poches de l'entrée et nota sur son poignet la série de chiffres que James lui dictait.

— J'ai pas arrêté de penser à toi, murmura-t-elle. La façon dont tu nous as défendus samedi soir, c'était génial. Mais mon père est devenu complètement dingue quand il est venu me chercher au poste de police. Il déteste que je traîne avec les gens du quartier. Je suis privée de sortie pendant une semaine. Je peux t'appeler un peu plus tard ?

— Oui, bien sûr.

Ils s'embrassèrent à nouveau.

— Si mon père nous surprend, je t'autorise à lui casser les jambes, lança-t-elle le sourire aux lèvres, avant de piquer un sprint sur la coursive.

∴

James passa la fin de l'après-midi à jouer au football en compagnie de Max et de Charlie, puis il fut invité à dîner chez les Tarasov. Échaudé par sa récente indigestion, il se contenta d'une entrée, d'un plat et d'un dessert, mais rejeta fermement toutes les autres propositions de Sacha.

De retour à l'appartement, il trouva Dave et Sonya enlacés sur le canapé du salon. Se félicitant que ces deux abrutis aient gardé leurs vêtements, il fila discrètement dans sa chambre, jeta un œil à l'écran de son téléphone portable et constata qu'il avait reçu un SMS :

TA LE VERTIJ ? HANNAH :-)

NAN, PKOI ? composa James.

Confinée dans sa chambre avec son mobile pour toute compagnie, la jeune fille répondit aussitôt.

TU VEU JOUE A 1 JEU ?

OUI, répliqua James, intrigué.

Quelques minutes plus tard, il reçut le message suivant :

VA O 2E ETAJ, TOURN A GOCH. MARCH JUSKO BOU DU BALCON. TXT MOI KAN T ARRIV.

Il ignorait ce qu'Hannah avait en tête, mais ce petit jeu avait piqué sa curiosité. Il saisit ses clés et son téléphone, sortit de l'appartement, puis monta les marches de béton menant à l'étage supérieur.

C BON, composa-t-il en se dirigeant vers l'extrémité de la coursive.

Son mobile sonna presque aussitôt.

— Hannah ? C'est quoi ce délire ?

— Tu vois l'issue de secours ?

— Ouais.

— Prends-la.

— Qu'est-ce que tu me fais, là ?

La jeune fille émit un étrange gloussement.

— Fais ce que je te dis, et tu verras.

James poussa une porte recouverte de graffiti et déboucha dans une cage d'escalier.

— Wouah, qu'est-ce que ça pue, ici.

— Escalade l'échelle et passe par le sas.

Sur le mur d'en face, il remarqua une volée d'échelons en aluminium menant à une trappe dans le plafond.

— Hannah, il y a un cadenas.

— Grimpe et pousse de toutes tes forces. Je te laisse, j'ai presque plus de forfait.

James glissa son téléphone dans sa poche avant de gravir l'échelle. Il poussa sur le panneau de bois et constata que les vis des charnières avaient été retirées. Il souleva la trappe puis se hissa sur le toit de l'immeuble. Il vit Hannah avancer vers lui dans le soleil couchant.

— J'ai fait le mur, dit-elle en passant les bras autour de son cou. Il y a un autre sas dans mon appartement, juste devant la porte de ma chambre. Mon père n'a rien vu. Il se légume devant la télé.

Elle avait troqué son uniforme contre un T-shirt et des leggings blancs.

— T'es canon, dit James.

La jeune fille ignora sa remarque. Elle semblait préoccupée.

— Tu as déjà entendu parler de Will ? demanda-t-elle.

— Max m'a un peu expliqué. C'était ton cousin, c'est ça ?

— Ouais, mon pauvre cinglé de cousin. Viens ici, je vais te montrer.

Elle prit sa main et le conduisit au bord du vide.

— Wah, la vue sur le centre de Londres est géniale !

— Regarde plutôt en bas.

Le regard se posa sur une rambarde de métal tordu, huit mètres plus bas.

— C'est là que ça s'est passé ? demanda James.

— Ouais. Ils n'ont même pas pris la peine de réparer. À chaque fois que je viens ici, je revois toute la scène. Will, avec son dos brisé… Le sang qui coule de son oreille…

— Vous vous entendiez bien ?

— Il jouait avec moi quand j'étais petite, mais en vieillissant, il est devenu distant et solitaire. Il ne pensait qu'à ses ordinateurs. Sur la fin, il était maigre à faire peur, et complètement déprimé.

James était mal à l'aise.

— Tu crois qu'il s'est jeté volontairement dans le vide ?

— C'est possible, mais il n'a pas laissé de message d'adieu. La plupart des gens du coin pensent qu'il était tellement défoncé qu'il ne savait même pas où il était, quand c'est arrivé.

— C'est les boules.

Ils s'éloignèrent du bord de la terrasse. Hannah posa sa tête sur l'épaule de James et lâcha un rire nerveux.

— Tu dois me prendre pour une dingue de t'avoir fait venir ici. J'ai passé la journée à chercher un moyen de te voir et… je crois bien que c'est le rendez-vous le plus tordu de ma vie.

Il glissa un bras dans son dos et lui adressa un regard tendre.

— Mais non, c'est cool. La vue est géniale. Il doit y avoir plein de lumières, la nuit.

Il déposa un baiser sur ses lèvres, mais ne parvint pas à lui faire retrouver le sourire. Il s'accroupit sur le toit goudronné, le dos collé à une grille d'aération. Hannah s'allongea et posa la tête sur ses genoux. Ils parlèrent de tout et de rien en regardant le soleil se coucher.

James adorait sa nouvelle amie. Elle semblait se foutre de tout et faisait preuve d'un sens de l'humour particulièrement décapant. Il regrettait de l'avoir rencontrée dans de telles circonstances. Il aurait voulu lui parler de Lauren, de sa mère, de son existence de dingue, et oublier les détails de ce foutu scénario de couverture.

21. Porsche Cayenne Turbo

Dave feuilletait le *Daily Star* à la table de la cuisine. James posa devant lui une copie froissée.

— Tada ! s'exclama-t-il. J'ai assuré grave. Mille cinq cent onze mots, trois schémas en couleur, écriture aussi soignée que possible.

Dave leva la tête et sourit.

— Tu as poussé jusqu'à *onze* mots supplémentaires ? Qu'est-ce qui t'arrive ? Euh, c'est quoi cette énorme tache marron ?

— J'ai renversé une canette de Coca. Heureusement, l'encre n'a pas bavé.

— Tu devrais recopier ce devoir. Tu sais que Mr Brennan est hyper exigeant sur la présentation. Lui rendre ça, c'est comme le supplier à genoux de te filer une punition.

James savait que son coéquipier avait raison, mais la perspective de passer une minute de plus sur ce devoir assommant lui donnait envie de vomir.

— Ouais, bon, c'est pas grave. Je verrai demain. Et toi, comment ça se fait que tu n'as rien à foutre ?

— J'attends mes résultats d'examen de fin d'année. Mon responsable d'éducation dit que mon aspect physique me permet de rester à CHERUB un an de plus. Ensuite, je pense que je me payerai un peu de bon temps en Thaïlande ou en Australie avant d'entrer à l'université.

— Le bol, lança James.

Dave tourna la page de son journal et manqua aussitôt de s'étrangler.

— Wah ! T'imagines un peu, te réveiller à côté de ce genre de bombe atomique ?

James se pencha pour examiner la photo pleine page représentant une bimbo aux seins nus assise sur un ballon de football.

— Ses jambes sont trop maigres, mais j'irais pas coucher dans la baignoire.

Dave consulta sa montre.

— Oh, il est déjà midi moins le quart. Raul veut que je livre la voiture avant vingt heures…

— C'est qui, Raul ?

— Un type qui travaille pour Léon. Il m'a contacté pour l'histoire du vol de bagnole. Je ne voudrais pas qu'on se retrouve coincés dans les embouteillages. Je me suis dit qu'on pourrait aller déjeuner dans un coin sympa. Ensuite, on prendra le métro jusqu'à la station Pinner.

— C'est loin ?

Dave hocha la tête.

— Au nord-ouest de Londres, à l'autre bout de la ligne Metropolitan. Faudra changer à Baker Street et marcher un quart d'heure. On doit livrer la caisse dans un box près de Bow Road.

— On pourrait faire tomber Léon, avec cette histoire.

— Faudrait encore que les flics puissent présenter au tribunal des preuves établissant un lien entre Léon et les voitures volées. Vu la façon dont il couvre ses arrières, je doute qu'ils y arrivent.

∴

Les garçons rabattirent la visière de leur casquette de base-ball. Ils s'engagèrent dans Montgomery Grove, une rue friquée bordée de maisons individuelles.

Dave chaussa une paire de lunettes de soleil à verres miroir, sortit une feuille de papier de sa poche et relut les instructions. C'était un rituel destiné à calmer sa nervosité, car il connaissait déjà par cœur les détails de l'opération.

Il laissa s'éloigner deux gamins à vélo, puis se tourna vers son coéquipier.

— L'alarme se déclenchera trente secondes après l'ouverture de la porte. Faudra pas traîner.

James hocha la tête.

— La voiture se trouve dans le garage et le complice de Léon a laissé les clés sur la portière, côté passager, comme prévu.

— Quel modèle ?

— Porsche Cayenne Turbo.

— Oh ! *cool*, s'exclama James. Le modèle 4×4. Je pourrai la conduire ? Je préfère les motos, mais les Cayenne ont une vitesse de pointe de 270 kilomètres-heure.

— Quelle idée brillante ! Un gamin de treize ans au volant d'une voiture de sport à soixante mille livres, en plein jour. Les flics vont adorer.

James sourit.

— On aurait dû faire ça de nuit.

— Pas sûr. Ç'aurait été l'idéal pour entrer dans la baraque, mais il y aurait eu moins de circulation et on aurait eu plus de mal à se faire oublier.

— Numéro trente-six. C'est ici.

Les garçons enfilèrent rapidement des gants en caoutchouc et s'engagèrent dans l'allée.

— Nerveux ? demanda Dave.

— Un poil.

— Souviens-toi. Il n'est pas question de risquer notre peau pour Léon Tarasov. Si ça tourne au vinaigre, on se rend à la police.

— Compris.

Les agents gravirent les marches du perron. James pressa le

bouton de la sonnette. Ils patientèrent pendant une minute puis, certains que la maison était inoccupée, la contournèrent jusqu'au jardin.

Dave enfonça l'extrémité d'un pied-de-biche dans l'encadrement de la baie vitrée, imprima trois poussées sur la barre de métal pour casser la serrure, puis fit sauter la chaîne de sécurité d'un coup d'épaule. Il porta la main à sa clavicule et étouffa un cri de douleur.

Les garçons déboulèrent dans un élégant jardin d'hiver. James ressentit une bouffée d'angoisse à la vue du voyant rouge qui clignotait sur le panneau de contrôle du système d'alarme. Il compta silencieusement jusqu'à trente. Comme prévu, une sirène déchira le silence.

Ils traversèrent un salon luxueusement meublé. Une grande photo encadrée, représentant un couple flanqué de deux enfants, trônait au-dessus de la cheminée. Dave entrouvrit la porte qui menait au garage et découvrit une énorme Porsche garée près d'une BMW noire.

— La classe, lança James.

Dave sortit de son blouson deux plaques d'immatriculation et lui en tendit une.

— Au boulot.

Le jeu de plaques correspondait à un véhicule de modèle et de couleur identiques. Si une patrouille de police interceptait la voiture et consultait l'ordinateur central, ils s'en sortiraient sans être inquiétés.

Ils s'accroupirent de part et d'autre de la Porsche. James ôta l'un de ses gants pour retirer le film qui protégeait la partie autocollante de la plaque. Il était si nerveux qu'il avait le sentiment de posséder cinq pouces à chaque main. Lorsqu'il y parvint enfin, il réalisa que Dave avait déjà pris place devant le volant.

— Qu'est-ce que tu fous ? hurla ce dernier, couvrant le grondement du moteur.

James pressa fortement la plaque sous le pare-chocs, contourna la voiture et se glissa sur le siège passager.

— Je ne trouve pas cette putain de télécommande, bredouilla Dave, saisi de panique.

— Quoi ?

— Le boîtier qui permet d'ouvrir la porte du garage. Il devrait être sur le tableau de bord.

James ouvrit la boîte à gants. Des cartes routières et des étuis à lunettes tombèrent sur ses genoux.

— Descends et ouvre la porte manuellement ! hurla Dave en désignant un bouton vert sur le mur du garage.

Au moment où James posait le pied au sol, il remarqua la télécommande rangée près du frein à main.

— Elle est là, abruti.

Dave saisit le boîtier et l'actionna frénétiquement. Lorsque la porte se fut élevée d'un mètre, une vieille femme coiffée d'un chapeau de paille et de gants de jardinage déboula dans le garage et ouvrit la portière côté passager.

— Sors de là, jeune homme ! hurla-t-elle en saisissant le T-shirt de James à pleines mains. Nous ne tolérons pas les voyous de ton espèce dans le quartier !

Dave appuya sur l'accélérateur et la Porsche commença à rouler au pas. James parvint à dégager son bras droit. Sa puissance de frappe lui aurait permis d'assommer son adversaire sans effort, mais il répugnait à frapper une personne âgée.

— Débarrasse-toi d'elle ! cria Dave.

James repoussa violemment la vieille femme puis claqua la portière. La porte du garage était à présent entièrement relevée.

— Démarre !

— Est-ce que ses jambes sont en dehors de notre trajectoire ?

— Ouais.

Il verrouilla la portière.

— Je ne veux pas lui rouler dessus, balbutia Dave. Tu es bien sûr que ses jambes ne sont pas sous la bagnole ?

— Je t'ai dit que c'était bon, bordel ! Barrons-nous d'ici.

Dave écrasa la pédale d'accélérateur, et la Porsche bondit en rugissant hors du garage. Un élégant vieillard équipé d'une fourche se plaça sur leur trajectoire.

— Bande de petits salauds ! brailla-t-il.

L'espace d'un instant, James crut que l'homme allait sauter sur le capot, mais il le vit projeter son arme à la manière d'un javelot. Il plongea sous le tableau de bord. Les pointes de métal heurtèrent le pare-brise, puis la fourche retomba sur le gravier. Dave fit une embardée pour épargner un enfant à vélo. Il jeta un coup d'œil au rétroviseur et vit une dizaine de voisins qui accouraient dans leur direction.

La Porsche prit de la vitesse. Lorsqu'elle atteignit cent kilomètres-heure, Dave freina brusquement et effectua un virage à angle droit pour rejoindre une rue plus fréquentée.

— Ces vieux cons avaient décidé d'en finir avec la vie ou quoi ? hurla-t-il, au comble de la fureur. S'ils avaient eu affaire à de vrais braqueurs, ils auraient pu ramasser une balle ou un coup de couteau !

— Complètement tarés, ajouta James en considérant avec stupeur son T-shirt déchiré.

Dave actionna le klaxon, donna un violent coup de volant pour éviter une voiture arrêtée à un croisement, puis il grilla un feu rouge.

— Ce serait un miracle qu'on se sorte de là sans se faire pincer par les flics. Je me fous de ce que Léon nous proposera à l'avenir ou de l'importance que ça pourrait avoir pour la mission. Il est hors de question que je replonge dans un plan aussi foireux.

— On est d'accord, dit James en jetant un coup d'œil par-dessus l'appuie-tête pour s'assurer qu'ils n'étaient pas suivis. Ça vaut pas le coup de risquer la crise cardiaque.

22. Trop kitsch

Le lendemain, Dave se présenta à la concession de Léon à neuf heures précises. Il tira le frein à main de la Ford, puis déchiffra les grandes lettres peintes sur la cabine de chantier qui faisait office de bureau de vente :

TARASOV PRESTIGE MOTORS
Numéro un de l'occasion Jaguar et Mercedes

En dépit de cette affirmation, la plupart des voitures alignées sur le parking étaient des véhicules de société à la retraite et des breaks familiaux.

Les clients se faisant rares à cette heure de la journée, Pete Tarasov aida Dave à monter les pièces achetées à la casse le jour précédent. Tandis qu'ils étaient allongés sous la Mondeo, Léon se traîna hors de la cabine, deux *mugs* en main.

— Thé chaud pour tout le monde ! s'exclama-t-il.

Dave émergea de sous le châssis et profita d'une vue en contre-plongée sur le ventre démesuré de Tarasov.

— Raul m'a dit que ton frère et toi ne vouliez plus bosser pour moi, dit l'homme avec un sourire bienveillant.

Dave, ne sachant pas s'il pouvait parler librement devant Pete, lui adressa un regard interrogateur.

— T'inquiète, dit Léon. Il est au parfum.

— Il paraît que vous avez failli vous faire botter le train par une grand-mère, ricana Pete en saisissant un *mug* entre ses doigts crasseux.

— Je suis désolé, dit Dave. J'ai vécu en foyer et en famille d'accueil toute ma vie. Je voudrais qu'on ait une vie normale, James et moi. Je ne veux pas courir le risque de finir en cabane.

— Je comprends parfaitement, répondit Tarasov. Je ne vous en veux pas. Vous n'avez pas eu de bol sur ce coup, et puis tout le monde n'a pas le cran nécessaire pour piquer une bagnole.

— J'ai pensé à un truc, oncle Léon, dit Pete. Dave pourrait me remplacer dans deux mois, quand je partirai pour l'université. Il s'y connaît en mécanique. Il serait capable d'effectuer toutes les petites réparations et même de conseiller les clients, le samedi, aux heures d'affluence.

Léon haussa les épaules.

— Je ne suis pas contre, mais ce garçon doit penser à ses études.

— J'ai l'intention de m'inscrire à la faculté à mi-temps, précisa Dave. Il faut que je trouve un job à côté.

— Je te prends à l'essai pendant un mois. Six livres de l'heure. Ça te va ?

— C'est génial. Je ne sais pas ce qu'on ferait sans vous, James et moi.

Lorsque Léon regagna le bureau de vente, Dave se tourna vers Pete.

— Je sais pas comment te remercier.

— Essaie juste de pas être allongé sous une bagnole quand mon oncle découvrira ce que tu bricoles avec sa fille.

.**.**.

James se remit de la déception du match nul contre Tottenham en alignant deux victoires écrasantes. Avec dix points d'avance à cinq journées de la fin, il avait pratiquement le titre en poche. Lorsque son téléphone sonna, il mit la PlayStation sur *pause*.

— Hannah ? T'es pas en cours ?

— C'est le dernier jour de l'année. Quand j'ai vu le mur du bahut, je me suis dit que je pourrais pas supporter de rester une heure de plus enfermée dans une salle de classe, alors je suis remontée dans le bus.

— Moi, j'adore le dernier jour. On court dans les couloirs, on donne des coups de pied dans les portes… Une fois, j'ai déclenché l'alarme incendie, c'était génial.

— Ça se passe pas vraiment comme ça, dans mon collège. Tout ce qu'on a le droit de faire, c'est d'assister à un concert de clarinette. Bon, ça te dirait qu'on se voie ?

— Ouais, cool. J'ai rien d'autre à faire que de jouer à la PlayStation.

— Mes parents sont encore au boulot. Tu veux venir chez moi ? Ça te changera de ta décharge à ordures.

— Si tu es sûre qu'on ne risque pas de se faire surprendre, ça me va.

— Je passe te chercher. À tout de suite.

James relâcha la *pause* et acheva son match. Quelques minutes plus tard, Hannah frappait de sa bague contre la fenêtre du salon. Elle le conduisit jusqu'à son appartement, un duplex à la disposition en tous points semblable à celui de la famille Tarasov, mais au mobilier tout droit sorti d'un magazine de décoration.

La chambre d'Hannah, avec sa collection de lampes à lave, son tapis en peau de mouton et son poster d'Austin Powers grandeur nature, était plus à son goût.

— Trop kitsch, sourit James en examinant un vieux tourne-disque à haut-parleur intégré.

— J'aime bien faire les brocantes et les vide-greniers, expliqua Hannah. Avec les magasins comme *Ikea*, tout le monde finit avec la même déco.

James inspecta l'étagère où étaient alignées des centaines de quarante-cinq tours.

— Où tu les as trouvés ?

— J'ai récupéré la plupart dans la poubelle, parce que mon père voulait les jeter. Les autres, je les ai achetés sur eBay. Choisis un morceau, si tu veux, que je voie quelle musique tu aimes.

Les disques étaient rangés dans des pochettes blanches dépourvues de toute inscription, si bien qu'il devait les sortir pour déchiffrer l'étiquette centrale. Tandis qu'il parcourait la collection, Hannah troqua son uniforme contre un T-shirt et un short taillé dans un pantalon de treillis. Il n'eut pas l'audace de la regarder se changer, mais il apprécia ce qu'il aperçut du coin de l'œil.

— J'ai trouvé ! s'exclama-t-il en approchant un disque de l'appareil.

Alors, il réalisa qu'il n'avait jamais manipulé une platine mécanique de sa vie.

— C'est automatique, expliqua Hannah.

Elle posa le single sur le tourne-disque et enfonça un bouton. Le saphir situé à l'extrémité du bras de l'appareil vint se poser délicatement sur le vinyle. Le haut-parleur émit quelques craquements, puis cracha les premières notes du générique de *Batman*.

— Ouais, cool, gloussa Hannah. Excellent choix.

Pieds nus sur le tapis, elle esquissa un pas de danse frénétique.

∴

Pendant plus d'une heure, étendus sur le lit, ils écoutèrent de vieux morceaux en discutant de tout et de rien. Hannah était aux anges. Elle avait rarement l'occasion de s'amuser. Elle détestait les élèves de son collège, se disputait continuellement avec son père, et sa meilleure amie la délaissait pour s'occuper de sa grand-mère.

Ils s'embrassèrent longuement, puis leur étreinte prit une tournure plus torride. James essaya de glisser une main dans le short d'Hannah. Prise d'une soudaine fringale, elle bondit du lit et se rua vers la cuisine. Déçu, il la suivit en s'efforçant de défroisser ses vêtements.

— Pourquoi tu fais cette tête ? demanda-t-elle en posant des bâtonnets de poisson pané dans une poêle.

— Rien, rien... répondit-il, l'air maussade, comme privé de tout enthousiasme.

Il posa ses coudes sur la table, puis planta son menton entre ses mains.

Elle lui adressa alors un sourire si tendre, si lumineux, qu'il en tomba instantanément fou amoureux. Le manuel de CHERUB consacrait tout un chapitre au problème des liens affectifs noués dans le cadre des missions d'infiltration. Lorsque l'opération s'achèverait, il devrait effacer de sa mémoire cette jolie fille de quatorze ans qui lui préparait à manger et lui lançait des regards profonds.

— N'y pense pas, marmonna-t-il.

— Qu'est-ce que tu dis ? demanda Hannah.

— Je suis crevé, dit-il, réalisant soudain qu'il venait de s'exprimer à haute voix. Dave et moi, on a joué à la PlayStation jusqu'à trois heures du mat.

— Ça doit être tellement cool de ne pas avoir de parents. Les miens sont de vrais connards.

— Le problème, c'est qu'on n'a pas un rond, et notre éducateur vient fourrer son nez dans nos affaires deux fois par semaine pour vérifier qu'on n'a pas foutu le feu à l'appartement.

— À ce propos, je pense vraiment qu'il a besoin d'un sacré coup de peinture.

— Les services sociaux nous ont filé un bon d'aménagement. On ira faire un tour chez *Ikea*, quand la voiture sera réparée.

— *Ikea*, répéta Hannah, consternée. On peut difficilement trouver pire.

— Peut-être, mais c'est tout ce qu'on peut se permettre. Tes parents sont peut-être des connards, mais on dirait que tu n'as pas trop à te plaindre sur le plan du fric, vu tes fringues et la déco de ta chambre.

— Je sais, dit la jeune fille en retournant rapidement les poissons. Je les aime bien au fond. Le truc, c'est qu'ils sont devenus trop stricts après ce qui est arrivé à Will. Ils ont peur que je traîne avec les jeunes du coin et que je devienne toxico, ce genre de truc.

— Est-ce que les parents de Will habitent toujours l'immeuble ?

Hannah secoua la tête.

— Non. Ils ont revendu leur appartement et sont partis vivre au bord de la mer.

Elle marqua une pause, puis s'exclama :

— Eh, je viens d'avoir une idée…

— Laquelle ?

— Quand ils ont déménagé, mon oncle et ma tante ont décidé de se débarrasser des affaires de Will, histoire de tirer un trait sur le passé. J'ai récupéré quelques-uns de ses meubles. Ils prennent la poussière dans la cave de mon père. Ça pourrait peut-être vous être utile, non ?

23. Une nouvelle vie

Hannah fit tourner la clé dans le cadenas, poussa la porte puis actionna l'interrupteur. La lumière froide d'une ampoule nue illumina la cave. L'espace de deux mètres sur quatre était entièrement occupé par des cartons, des bidons de peinture entamés et des rouleaux de papier peint.

Les affaires de Will étaient rassemblées dans un coin : des livres de classe, des cahiers, une chaise, un bureau de bois orné d'autocollants Action Man et Power Rangers, une table de chevet, une lampe articulée et un vieux PC jauni.

— Qu'est-ce que t'en penses ? demanda Hannah.

— J'emprunterais bien la chaise et le bureau. Ça serait pratique pour faire mes devoirs.

— Tu devrais prendre l'ordinateur. Il ne date pas d'hier, mais c'est mieux que rien, non ?

James possédait un ordinateur portable dernier cri équipé d'une connexion Wi-Fi, mais il devait se comporter comme son alter ego James Holmes, un garçon fauché qui n'aurait pas laissé passer une telle offre.

— Génial, murmura-t-il. Mais tes parents seront d'accord ?

— Mon père voulait se débarrasser des affaires de Will. Il dit que c'est morbide de garder tout ça.

James posa un baiser sur la joue d'Hannah.

— C'est hyper gentil, dit-il en sortant son téléphone de sa poche. Je vais appeler Dave. Dès qu'il reviendra de la concession, il pourra nous aider à transporter tout ça.

⁘

Même s'ils savaient que leur séjour à Palm Hill ne se prolongerait pas au-delà de quelques semaines, James et Dave devaient donner à leurs voisins l'impression qu'ils débutaient une nouvelle vie et s'installaient durablement dans le quartier. Après avoir transporté les affaires de Will à l'appartement, ils se rendirent chez *Ikea* pour dépenser quelques-unes des trois cent vingt-cinq livres qu'un associé de Léon avait glissées dans leur boîte aux lettres en leur absence.

La Ford Mondeo semblait avoir retrouvé une seconde jeunesse. Ravis de pouvoir profiter à nouveau de l'air conditionné, ils affrontèrent sereinement un gigantesque embouteillage sur la M25.

— Qu'est-ce que tu penses de la théorie de Millie? demanda James. Tu crois que Léon trempe dans le trafic de drogue?

— Ça semble logique, dans la mesure où il n'existe aucune preuve qu'il a été lié à une attaque à main armée. C'est un opportuniste. Tu as vu à quelle vitesse son cerveau fonctionne? Il n'a pas mis longtemps à nous embarquer dans sa combine de vols de bagnoles. S'il a eu l'occasion de se faire un tas de fric en vendant de la dope, je suis prêt à parier qu'il ne l'a pas laissée filer.

— Mais la liste des braquages ne concernait que la juridiction de la police métropolitaine. Ça aurait pu se passer n'importe où ailleurs.

— On peut toujours perdre notre temps à spéculer sur la façon dont Léon a touché le gros lot, mais il n'y a que le travail sur le terrain qui nous permettra d'en savoir plus.

— Je sais. Je vais essayer de traîner dans l'appartement des Tarasov, maintenant que Max est en vacances. Tu penses qu'on devrait placer des micros?

Dave secoua la tête.

— Ce n'est pas une mission prioritaire. Même si on planquait des mouchards dans toute la maison, tout ce qu'on obtiendrait, c'est des centaines d'heures de discussion sans intérêt, sans équipe pour les analyser. Pour être tout à fait honnête, James, je ne pense pas que la solution viendra de ton côté. Léon dirige ses affaires depuis la concession, et il ne parle pas business avec Sacha, Max, Liza et Sonya. Maintenant que je travaille avec lui, je suis le mieux placé pour ramasser des informations. Je m'entends super bien avec Pete, et je finirai par avoir une occasion de fouiller son bureau.

— Je vois ce que tu veux dire, souffla James, l'air abattu.

Une voiture changea brutalement de file, frôlant le pare-chocs de la Ford. Dave donna un coup de klaxon et pila net.

— C'est ça, pauvre mec, gronda-t-il. T'as gagné au moins deux secondes.

Le conducteur passa une main à la fenêtre et lui adressa un doigt d'honneur.

— Va te faire foutre ! lança Dave.

Il tâcha de retrouver son calme puis reprit le fil de la conversation.

— Tu as eu beaucoup de chance avec tes missions jusqu'ici. Mais cette fois, l'heure de David Moss a sonné.

James réalisa qu'il s'en fichait royalement.

— Et alors ? sourit-il. Je sais bien que je ne vais pas obtenir le T-shirt noir pour cette mission minable. Moi, tant qu'il fait beau et que je peux passer un peu de bon temps avec Hannah...

— Ah, les agents d'aujourd'hui... soupira Dave. Ça ne pense qu'aux gonzesses.

James éclata de rire.

— Attends, c'est *toi* qui me dis ça ?

⋰

Ils regagnèrent l'appartement aux alentours de dix-sept heures. Ils avaient acheté des rideaux, des lampes de chevet, des étagères pour le salon et deux tapis destinés à dissimuler les taches les plus voyantes de la moquette.

Max et Pete Tarasov, armés d'un escabeau et d'une caisse à outils, vinrent leur prêter main-forte. Une fois la décoration du salon achevée, Max brancha le vieil ordinateur de Will dans la chambre de James. Il fonctionnait correctement, mais après avoir constaté qu'aucun jeu n'était installé sur le disque dur, les deux jeunes garçons se rendirent au terrain de foot pour disputer le traditionnel match du soir.

En cette première soirée des vacances d'été, les jeunes de Palm Hill étaient surexcités. James, agréablement surpris par ses performances footballistiques, partageait l'enthousiasme général. Il était heureux de se confronter à des adversaires ordinaires et de pouvoir oublier les humiliations infligées par les athlètes de CHERUB.

Le match se poursuivit jusqu'au crépuscule, à la lumière bleutée des réverbères. Peu avant onze heures, Charlie quitta le terrain en compagnie de Liza Tarasov, et plusieurs garçons furent raccompagnés au bercail *manu militari* par des mères au bord de la crise de nerfs. James ramassa son T-shirt et s'en servit pour éponger la sueur qui dégoulinait sur son torse.

— Tu veux venir chez moi, demain ? demanda Max. J'ai quatre pads pour ma Xbox. Je pourrais appeler deux copains et organiser un tournoi FIFA, ou un truc dans le genre.

— Ouais, ça me dirait bien. On se rappelle demain. Tu as mon numéro de portable ?

De retour à l'appartement, James ne se sentait pas la force de prendre une douche, malgré la chaleur étouffante : ses jambes parvenaient à peine à le porter et il n'avait plus d'autre objectif que de se mettre au lit.

Il fit un crochet par la cuisine, se passa la tête sous le robinet d'eau froide et but à grands traits. Il s'essuya la bouche à l'aide de son T-shirt, puis le posa sur la table. Il fit une halte devant la porte de son coéquipier.

— Dave, tu dors ? chuchota-t-il.

Ne recevant aucune réponse, il pénétra dans sa chambre. Une puissante odeur de brûlé assaillit ses narines.

Il se précipita dans le couloir en hurlant comme un possédé.

24. Rideau de fumée

James fit irruption dans la chambre de Dave et le trouva étendu sur le lit, les fesses à l'air, la couette enroulée autour des jambes.

— Réveille-toi ! hurla-t-il. *Réveille-toi !*

Son coéquipier roula sur le dos et ouvrit des yeux ensommeillés.

— Qu'est-ce qui se passe ?

— Il y a de la fumée dans ma chambre !

Dave se dressa d'un bond et actionna l'interrupteur de la lampe de chevet.

— Qu'est-ce que tu racontes ? demanda-t-il en enfilant un caleçon.

— J'appelle les pompiers, dit James.

— T'es sûr que tu as vu des flammes ? Si ça se trouve, la fumée vient de l'extérieur.

Les deux agents se précipitèrent dans le couloir. Dave posa une main sur la porte de la chambre de James.

— C'est froid. Tu as senti une bouffée de chaleur quand tu es entré ?

— Non. Ça sentait le cramé, c'est tout.

Dave entrouvrit la porte. Un nuage de fumée s'échappa de l'interstice. Un étrange bourdonnement parvint à ses oreilles. Après s'être assuré qu'il ne voyait pas de flammes, il entra dans la chambre et actionna l'interrupteur. Une brume grisâtre flottait dans la pièce. Il ouvrit la fenêtre.

— Ça vient de l'ordinateur, dit James. J'ai dû le laisser allumé.

Il se pencha sous le bureau, débrancha le câble d'alimentation puis examina l'unité centrale. De la fumée jaillissait du lecteur de CD-ROM frontal. Le boîtier était brûlant. Dave ramassa un T-shirt sale sur le sol, s'en servit pour retourner le PC, puis inspecta le panneau arrière.

— Le ventilo est complètement bloqué par la poussière, dit-il. Tu ne l'as pas nettoyé avant de le brancher ? On ne t'a pas parlé des risques de surchauffe, au cours d'informatique ?

— Je pensais pas que c'était à ce point. Quel bordel ! Mes draps et mes fringues vont puer le cramé... Je vais devoir passer la journée de demain à la laverie automatique.

Dave retira du ventilateur une masse grise constituée de graisse et de poussière.

— Une minute de plus, et c'était l'incendie.

— Eh, on dirait qu'il y a quelque chose coincé derrière les pales ! s'exclama James.

— Ah ouais. T'as un tournevis ?

James se pencha sous le lit pour tirer de son sac de voyage son outil multi-usages. Dave ôta les quatre vis, ouvrit l'unité centrale et découvrit un sachet plastique fixé avec de la bande adhésive entre les composants électroniques. Il était chaud et collant, sur le point de fondre. Il contenait des brins verdâtres comparables à du thé. Il le déchira et le porta à ses narines

— C'est de l'herbe. Je crois qu'on vient de trouver la réserve de Will.

— Logique, dit James. Hannah m'a dit qu'il était défoncé du matin au soir.

— À cet endroit-là, ses parents ne risquaient pas de tomber dessus.

James poursuivit l'inspection des entrailles de l'ordinateur et remarqua une enveloppe violette glissée sous le disque dur. Elle contenait un petit matelas de billets de cinquante livres, un CD-ROM sur lequel figurait l'inscription *PATPaT* tracée au marqueur indélébile, et une carte d'anniversaire ringarde représentant un footballeur en pleine action.

— *Cher William, Papa et Maman te souhaitent un joyeux anniversaire*, lut James à haute voix.

— Le mystère s'épaissit, déclara Dave sur un ton théâtral. Y en a pour combien ?

— Tiens, compte, répliqua James en lui jetant les billets. Pendant ce temps-là, je vais voir ce que contient ce disque.

Il sortit son ordinateur portable de son sac, le posa sur le bureau et souleva l'écran.

— Un peu plus de deux mille livres, dit Dave. Pas mal pour un chômeur de dix-huit ans.

James souffla sur le CD-ROM pour en chasser la poussière puis le glissa dans le lecteur. Quelques secondes plus tard, un message d'alerte apparut à l'écran :

Ce disque n'est pas compatible avec Microsoft Windows. Souhaitez-vous quitter Windows et exécuter ce programme en mode MS-DOS ?

OUI/ANNULER

James avait reçu un cours concernant MS-DOS lorsqu'il s'était initié au piratage informatique, mais il n'en avait gardé aucun souvenir.

— Dave, tu peux me filer un coup de main ?

Ce dernier jeta un coup d'œil à l'écran.

— Clique sur OUI. MS-DOS, ça veut dire *Microsoft Disk Operating System*. C'était le système d'exploitation de tous les PC, avant l'invention de Windows.

James considéra avec circonspection le signe apparu sur l'écran noir :

C > :

— Je ne me rappelle plus de rien, gémit-il. Je dois taper quoi, déjà, pour obtenir la liste des fichiers ?

— Il faut entrer DIR, dit Dave en saisissant la machine. C'est le raccourci pour *directory*.

Une liste d'une trentaine de fichiers apparut à l'écran.

— Tu te souviens de ce que signifie. *exe* ? demanda Dave. C'est la même chose sur Windows.

— Ça veut dire *exécutable*, un synonyme de *programme*.

— Exact, dit Dave. Tu vois ce fichier nommé *cpx. exe* ? C'est la seule application présente sur le CD-ROM. Elle doit permettre d'ouvrir tous les fichiers. *cpx* de la liste.

Dave tapa le nom de l'un des documents et enfonça la touche *retour*. Une illustration sommaire représentant une table de roulette apparut à l'écran. Quelques notes de *Viva Las Vegas* jaillirent du haut-parleur.

Bienvenue sur CPX – Module Casino pour Nimbus
Système de comptabilité
Copyright Gamblogic Corp 1987
Entrez votre mot de passe opérateur > _

Sans l'ombre d'une hésitation, Dave entra *PATPaT* et accéda au menu de l'application.

(1) Saisie
(2) Personnel
(3) Fiches de salaire
(4) Liquidités
(5) Livre de comptes
(6) Autres options

Dave était sidéré.

— Ce programme date de la préhistoire. Qu'est-ce qu'il foutait dans l'ordinateur de Will ?

— Aucune idée, répondit James. Il se trouvait peut-être sur le PC quand il l'a acheté d'occasion. Selon Hannah, c'était un taré d'informatique. Il récupérait des machines destinées à la casse un peu partout et se faisait du fric en les retapant.

— Mais ça n'explique pas pourquoi il a gravé cette application sur un CD qu'il a caché à l'intérieur d'une unité centrale. Il y a forcément un truc qui nous échappe.

— Sélectionne une option, pour voir.

Dave enfonça la touche 1 et lut à haute voix la première ligne de la fenêtre de saisie affichée à l'écran :

Golden Sun Casino, Centre Octopus, Londres SE2

— Nom de Dieu ! s'exclama James.

— Quoi ?

— La liste des braquages que m'a donnée Millie, tu l'as toujours ?

— Non, je l'ai foutue à la poubelle. Vaut mieux pas laisser traîner ce genre de trucs avec Max, Pete et Sonya qui passent à l'appartement toutes les cinq minutes.

— Relance l'ordinateur, connecte-toi à Internet et vois ce que tu peux trouver sur le *Golden Sun Casino*.

Une recherche sur Google Actualités confirma les soupçons de James.

Attaque à main armée au **Golden Sun Casino** :
plus de £ 90000 de butin
BBC Londres Actualités - 3 juin 2004
LONDRES - Un agent de sécurité a été gravement blessé au cours d'une attaque à main armée au **Golden Sun Casino**. L'agression a eu lieu...
8 autres articles >>

Dave considéra son coéquipier d'un air admiratif.

— Excellente mémoire, James. Le hic, c'est que la somme volée au *Golden Sun Casino* ne correspond pas. On sait que Léon a ramassé au moins deux cent mille livres, sans compter la part de ses complices.

— Mais regarde les dates. Juin 2004, ça colle parfaitement. Will vivait dans le même immeuble que Léon ; il possédait des infos sur un casino qui s'est fait braquer au moment exact où le vieux est devenu riche du jour au lendemain. S'il te plaît, ne viens pas me parler de coïncidence.

Dave hocha la tête.

— Je crois que Millie est de service cette nuit. Je vais lui laisser un message sur son répondeur. Toi, tu appelles la permanence du campus. Envoie-leur le contenu du CD-ROM par mail et demande-leur de le faire suivre au MI5 pour analyse. *Forward* le message à John Jones. Je veux qu'il soit au parfum dès qu'il arrivera au bureau, demain matin.

25. Complètement parano

James convertit les données du CD-ROM au format Windows, puis les adressa par message électronique à la cellule d'urgence du campus. À une heure du matin, incapable de supporter l'odeur pestilentielle qui régnait dans sa chambre, il jeta une couette sur le canapé du salon et s'endormit comme une masse.

•••

Au matin, alors que Dave avait déjà rejoint la concession de Tarasov, il fut réveillé par le signal sonore annonçant la réception d'un SMS :

EXCELLENT BOULOT
JE VOUS TIENS AU COURANT
;-) A +. JOHN

Il éteignit son portable et se pelotonna contre le dossier du sofa. Il rêvait de faire la grasse matinée, mais les événements de la veille le condamnaient à se rendre à la laverie automatique ou à exhaler pour le reste de la semaine une épouvantable odeur de feu de camp.

•••

C'était un matin plutôt calme à *Tarasov Prestige Motors*. Pete était allé à la pêche avec deux amis, laissant à Dave le soin de briquer la carrosserie des véhicules exposés sur le parking. Léon, lui, regardait la télé dans le bureau. La première cliente se présenta aux alentours de neuf heures et demie, attirée par le sticker AFFAIRE DE LA SEMAINE apposé sur le pare-brise d'une Vauxhall Astra.

— Je reviens dans moins d'une demi-heure, lança Léon en montant dans le véhicule à côté de la femme. S'il y a le moindre problème, va prévenir George, au pub. Si d'autres clients se pointent, parle-leur poliment et fais en sorte qu'ils attendent mon retour. Dis-leur qu'ils ne le regretteront pas.

Dès qu'il se retrouva seul, Dave se précipita dans le bureau et plongea une clé USB dans la prise frontale de l'ordinateur. Il constata avec satisfaction que la machine n'était pas protégée par un mot de passe, puis il fit glisser l'icône du disque sur celle de la mémoire flash.

Cinq angoissantes minutes plus tard, les données en poche, il retourna briquer les voitures. Lorsque Léon regagna le parking, il s'extirpa avec difficulté de l'Astra et conduisit sa cliente dans la cabine de chantier pour régler les derniers détails de la vente. Il sortit dix minutes plus tard avec l'acheteuse, lui serra la main puis l'accompagna jusqu'à sa nouvelle acquisition.

Une fois la voiture disparue, il se dirigea vers Dave et lança en souriant :

— Si tous les clients étaient aussi débiles que cette nana, je roulerais en Rolls Royce. Elle aurait pu obtenir cette caisse pour six cents livres de moins. Chouettes nibards, cela dit…

— Un peu trop de kilomètres au compteur à mon goût, répliqua le garçon.

— Ferme le portail à clé, fiston. Je t'offre le petit déjeuner.

Le grill de Palm Hill se trouvait à quelques centaines de mètres de la concession. Lorsqu'ils pénétrèrent dans l'établissement, le personnel et les clients saluèrent Léon avec enthousiasme.

— Bacon, haricots, deux œufs au plat, galettes de pomme de terre, toasts et thé, dit Dave à la serveuse.

C'était une jeune fille un peu dodue, aux lèvres boudeuses et au front boutonneux.

— Tu peux regarder, mais défense de toucher, dit Léon, tout sourire. Pete court après Lorna depuis deux ans.

Les occupants du grill éclatèrent de rire. Le visage de la serveuse s'empourpra. Dave, réalisant qu'il avait établi une relation de confiance avec son employeur, entrevit une occasion de découvrir si Léon avait entretenu des rapports avec Will.

— Vous êtes au courant pour le nouvel ordinateur de mon frère ? demanda-t-il.

Léon avala une gorgée de thé puis secoua la tête.

— C'est Hannah Clarke qui lui a donné, ajouta Dave.

— Je l'aime bien, cette fille, dit Léon. C'est une amie de Liza. Il paraît que ses parents l'ont collée dans une saloperie d'école privée.

— L'ordinateur appartenait à Will, son cousin. Le ventilateur était tellement encrassé qu'on a failli foutre le feu à l'appartement. J'ai vidé une bombe de désodorisant dans la chambre de mon frère, mais on n'arrive pas à se débarrasser de l'odeur.

— Tu veux parler de Will Clarke, le gamin qui est tombé du toit ? demanda un vieil homme avec un fort accent irlandais, assis à la table voisine.

— Oui, répondit Dave.

— Quelle misère…

— Une tragédie, ajouta Léon. Il était brillant, ce môme. Il n'avait que treize ans quand j'ai acheté le premier PC pour la concession, mais il était déjà connu dans tout le quartier pour ses talents d'informaticien. Il est venu deux ou trois fois pour configurer l'ordinateur et me montrer quelques astuces. Quand Max a réclamé sa propre bécane, j'ai acheté un modèle d'occasion à un client du pub. Pour trois fois rien, Will l'a remis en état, puis il a installé Windows et les meilleurs jeux du moment.

Dave, satisfait des informations qu'il venait de soutirer, décida d'en rester là, de crainte d'attirer les soupçons.

Le vieil Irlandais regarda Dave droit dans les yeux. Il avait le visage gris et ridé des ivrognes invétérés.

— Qu'est-ce que tu penses de tout ça, petit ? Tu crois que Will s'est foutu en l'air ?

— J'en ai aucune idée. Je viens d'arriver dans le quartier. Je ne l'ai jamais rencontré.

— C'est cette saloperie de drogue qui l'a tué, dit Léon. J'ignore si c'est un accident ou un suicide, mais ce que je sais, c'est que les neurones de ce garçon étaient partis en fumée depuis longtemps, au moment où ça s'est passé.

— C'est dingue tout ce que ces gamins se foutent dans le sang.

Le cuisinier en personne vint poser deux assiettes devant Dave et Léon.

— Bon appétit ! lança-t-il.

— Merci Joe, dit Tarasov avant d'empoigner la salière et de doucher littéralement son petit déjeuner. Je crève la dalle.

— Tu sais pourquoi Léon n'aime pas que les jeunes prennent de la drogue ? demanda le cuisinier en se tournant vers Dave.

— Non, pourquoi ?

— Parce qu'il préfère qu'ils viennent dans son pub pour boire sa bière et fumer ses clopes, répondit l'homme, le sourire aux lèvres.

.:.

James était furieux de devoir dépenser douze livres pour se débarrasser de la puanteur dont ses vêtements et ses draps étaient imprégnés. La gérante de la laverie, bavarde comme une pie, lui parla longuement de son fils militaire et des formidables perspectives de carrière offertes par l'armée. Il répondit aux questions de la femme pendant quelques minutes puis, excédé par son bavardage incessant, il se pencha à son oreille et chuchota :

— Je regrette, mais je ne peux pas vous parler. Figurez-vous que je suis un agent secret. Je travaille pour une organisation non officielle baptisée CHERUB. Si vous me forcez à prononcer un mot de plus, je serai obligé de vous liquider.

— Tu es bien désagréable, jeune homme, soupira-t-elle. J'essayais juste de faire la conversation, pour passer le temps.

James n'était pas très fier de lui. Il avait lancé cette provocation par lassitude, mais la gérante semblait profondément vexée. Comble de malchance, la porte du sèche-linge se bloqua et il dut réclamer son assistance. Elle réinitialisa la machine en silence, le visage fermé.

Assommé d'ennui après deux heures et demie passées dans la laverie, il quitta enfin l'établissement. Il jeta ses quatre sacs de linge sec dans le coffre de la Ford, garée le long d'une double ligne continue, puis s'affala sur le siège passager.

— T'en fais une tête, dit Dave.

— C'était pire qu'une journée au bahut.

— Moi, j'ai passé la matinée à essuyer des carrosseries et à passer l'aspirateur. Une nana a laissé sa bagnole en dépôt-vente. J'ai dû tout nettoyer. Il y avait une cinquantaine de chewing-gums collés dans les cendriers.

— Beuark, lança James, le visage déformé par une grimace. Effectivement, c'est pire que moi.

Dave sourit.

— Quand j'ai accepté de faire partie de CHERUB, je croyais que j'allais sauter en parachute, débarquer sur des îles tropicales et me faire courser dans les montagnes par des tueurs masqués en motoneige.

James éclata de rire.

— T'as raison. Personne ne nous a parlé des corvées de lessive et de chewing-gums séchés.

— T'inquiète. Ça a l'air de bouger du côté du campus. Mac a rendez-vous au ministère de la Défense. Il a réservé une petite place à John dans l'hélico. On doit le retrouver chez Millie, à quinze kilomètres d'ici, du côté de Romford. Prends la carte sous le siège et fais en sorte qu'on n'arrive pas en retard.

⋯

Dave gara la voiture devant la maison de Millie, derrière une Toyota RAV4 violet métallisé. Elle les conduisit jusqu'à la cuisine. John Jones était assis à la table de pin massif, devant deux gâteaux posés sur des assiettes. Les deux agents prirent place à ses côtés, avant de se jeter sur le marbré au chocolat.

— James, j'ai croisé ta sœur, ce matin, dit John. Elle vient de rentrer de la résidence d'été, et elle est toute bronzée. Elle a demandé comment tu allais. Je lui ai dit que tu lui passerais un coup de fil dès que possible.

— Cool. Je l'appellerai ce soir.

Millie posa quatre *mugs* de thé sur la table. James examina le logo figurant sur le récipient : *Squash Club, Police métropolitaine*, écrit entre deux raquettes croisées.

— Tout d'abord, les garçons, je tenais à vous féliciter pour votre travail de la nuit dernière. J'ai conscience que vous avez découvert ce CD-ROM un peu par hasard, mais vous ne seriez jamais entré en possession de l'ordinateur de Will si vous ne vous étiez pas liés aux gamins du quartier. J'ai passé les données au MI5, mais ils ont eu des difficultés avec le logiciel de comptabilité, et je n'ai reçu leur rapport initial qu'il y a vingt minutes. La Criminelle d'Abbey Wood devrait nous faire parvenir le dossier concernant le braquage du *Golden Sun Casino* dans une heure ou deux. J'ai eu peu de temps pour éplucher les documents dont je dispose pour l'instant, mais je tenais à vous faire part de mes découvertes.

James saisit une part de gâteau et commença à en grignoter le glaçage.

— Premièrement, je crois pouvoir expliquer la différence entre l'argent investi par Léon et le butin du braquage. Vérification faite, le *Golden Sun* dispose d'une licence pour quinze tables de jeu et trente machines à sous, mais la Police criminelle d'Abbey Wood a la conviction que des parties clandestines de poker *no limit* sont organisées à l'étage. Il y a fort à parier que les propriétaires du casino ont perdu bien davantage que les quatre-vingt-dix mille livres déclarées aux autorités et qu'ils ont minimisé cette somme de peur d'attirer les soupçons et de perdre leur licence. Je suis également en mesure de confirmer que les braqueurs ont bénéficié de complicités parmi les membres du personnel. Ils connaissaient les codes de sécurité et la combinaison des deux coffres. Deuxièmement, parmi les données que James m'a envoyées se trouvait la liste complète des clients réguliers du *Golden Sun*. Surprise, Léon en faisait partie, et son compte était débiteur de plus de six mille livres au moment du vol. Figurez-vous qu'il a été brièvement interrogé lors de l'enquête qui a suivi.

— Comment se fait-il que personne n'ait fait le lien ? demanda James.

John haussa les épaules.

— Les fichiers du casino comptaient plus d'un millier de membres, soixante-dix à quatre-vingts employés et plusieurs centaines d'anciens collaborateurs. La Criminelle d'Abbey Wood ne dispose que de cinq enquêteurs chargés de traiter deux à trois gros dossiers par semaine. Ils ont peut-être étudié le dossier de Léon, mais aucun élément ne justifiait des investigations plus poussées.

— Dans les séries télé, fit observer James, il y a toujours une pièce du commissariat pleine de flics enquêtant sur la même affaire.

Millie hocha la tête.

— C'est vrai, mais dans le monde réel, en dehors des affaires médiatisées comme les homicides et les enlèvements d'enfant, les statistiques montrent que chaque policier est censé traiter une douzaine de dossiers. À Palm Hill, on est en sous-effectif de dix personnes, et on a tellement peu de véhicules d'intervention qu'on doit les réserver plusieurs semaines à l'avance.

— Troisièmement, poursuivit John, le MI5 m'a informé que le mot de passe inscrit sur le CD avait été attribué à deux anciens employés du casino, Éric Crisp, un agent de sécurité vacataire, et Patricia Patel, une croupière à temps complet.

À ces mots, la jeune femme se raidit.

— John, est-ce que c'est une blague ?

— J'ai vraiment l'air de plaisanter ? répliqua ce dernier.

— Patricia Patel est la femme de Michael Patel, l'officier qui a maltraité James, samedi dernier. Il la surnomme Pat Pat. Je n'avais jamais entendu parler du *Golden Sun* jusqu'à ce matin, mais je savais qu'elle travaillait dans un casino. J'ai gardé leur fille plusieurs fois, l'année dernière, quand la mère de Patricia était malade. Éric Crisp faisait également partie de mon escouade. Il a été muté à Battersea quand il a été nommé sergent, il y a deux ans. Il était témoin au mariage de Michael. Quelques semaines plus tard, il a été gravement blessé au dos et a été contraint de quitter la police.

Le contrôleur de mission et ses deux agents échangèrent un regard interdit.

— *D'accooord*, lâcha John dans un souffle. J'allais suggérer que nous enquêtions sur ces deux suspects et leurs liens éventuels avec Léon Tarasov, mais on dirait que tu viens de répondre à toutes mes interrogations.

— Et Will ? demanda James. Quel a été son rôle dans le braquage ?

— Ce logiciel date de la préhistoire, fit remarquer Dave. Je pense qu'il contenait des données indispensables à la préparation du braquage, et que Patricia Patel ou Éric Crisp se sont chargés de les copier sur le CD-ROM. Ensuite, j'imagine qu'ils ont fait appel à Will pour extraire les informations sécurisées ou se connecter au serveur du casino.

— Le plus étrange, c'est que Will a caché le disque dans la coque de son unité centrale, dit Millie, toujours sous le choc. Il aurait pu le détruire, s'il craignait que la police ne le découvre. Il devait chercher un moyen de se protéger. Je pense qu'il se sentait menacé.

— Si ça se trouve, suggéra James, Léon ne lui a pas dit à quoi allaient servir les données que contenait le CD. Quand il a entendu parler du braquage aux informations, il a compris qu'il était complice d'un crime, alors il a flippé comme un malade.

Dave hocha la tête.

— Pas étonnant, vu la quantité de pétards qu'il s'envoyait. Ce truc rend complètement parano, à ce qu'il paraît…

— Du coup, Tarasov a peut-être cru qu'il allait le dénoncer à la police. Et s'il avait envoyé l'un de ses hommes pour le balancer du toit ?

— Ta théorie me plaît bien, James, dit John. En tout cas, il faut désormais envisager que Will ait pu être liquidé par l'un des complices du braquage.

— Cela dit, ajouta Dave, vu son état, il pourrait tout aussi bien s'être suicidé, par peur de se faire serrer par les flics.

— Une autre possibilité parfaitement crédible. Je vais jeter un œil au rapport du coroner et aux dossiers de police établis après le décès de Will. Nous devons élargir le champ de nos investigations et tâcher de rassembler davantage d'informations sur les Patel, Éric Crisp et Will Clarke.

— Et comment tu comptes faire ?

— Cette opération vient de prendre une nouvelle dimension. Au départ, on enquêtait sur un petit truand local à la tête d'une fortune d'origine douteuse. Désormais, il est possible que nous soyons devant un meurtre et une affaire de corruption policière. Je suis prêt à parier que Zara débloquera quelques moyens supplémentaires dès qu'elle sera avertie des derniers développements de la mission.

James vit une larme rouler sur la joue de Millie.

— Eh, tout va bien ? demanda-t-il en se penchant par-dessus la table pour saisir sa main.

Elle s'essuya les yeux d'un revers de manche puis explosa de rage.

— Non, James, tout ne va pas bien ! J'ai participé à des centaines d'opérations en compagnie de Michael et d'Éric. Je leur ai fait confiance. Ils ont couvert mes arrières. En tant que supérieure, j'ai rédigé à leur sujet des évaluations *hyper favorables*. J'ai prêté de l'argent à Michael quand il était fauché, après la naissance de son bébé. J'ai poussé Crisp à passer les examens de sergent. Ces salauds ont dû bien se marrer derrière mon dos.

— Ne prends pas les choses trop à cœur, Millie, dit John sur un ton apaisant. Il y a des tas de flics pourris en liberté. J'ai servi quelques années dans la police, et j'en ai croisé un paquet, tu peux me croire.

— Mais ils m'ont *vraiment* prise pour une conne ! rugit la jeune femme. Pas étonnant qu'on n'ait jamais rien trouvé sur cette ordure de Tarasov, s'il a la moitié des policiers de Palm Hill dans sa poche.

Le contrôleur de mission esquissa un sourire.

— Je doute que deux flics pourris aient pu saboter le travail de toute une escouade.

— Et qu'est-ce qui te dit qu'il n'y en a pas davantage ? Tu sais comment sont les choses, John. Si cette affaire de corruption éclabousse mon poste de police, je peux dire adieu à toute promotion. Ils ne me vireront pas, bien sûr, mais je serai transférée aux archives ou à la circulation.

Sur ces mots, elle se figea puis s'effondra sur la table, secouée de sanglots.

— Je ne mérite pas ça, gémit-elle. La police, c'est toute ma vie depuis que j'ai quitté l'université. J'ai travaillé trop dur, *putain*, vraiment trop dur…

26. Cheat code

L'amitié qui liait Michael Patel et Éric Crisp, les habitudes de Léon au casino, le mot de passe de Patricia Patel inscrit sur le CD-ROM trouvé dans l'ordinateur de Will, tout laissait penser que ces cinq individus étaient impliqués dans le braquage du *Golden Sun*.

Mais ces soupçons étaient insuffisants pour obtenir une condamnation devant un tribunal. Les juges ne se satisferaient pas de coïncidences et de bribes d'informations entremêlées. Les éléments du dossier devaient constituer un scénario cohérent soutenu par des preuves solides.

Chaque membre de l'équipe reçut une tâche à accomplir. John regagna le campus pour consulter les dossiers concernant la mort de Will et réclamer à Zara des moyens supplémentaires. Dave était chargé de poursuivre ses manœuvres d'infiltration auprès de Pete et Léon. Millie devait dissimuler sa rancœur et travailler avec Michael Patel comme si de rien n'était, tout en s'efforçant de rassembler discrètement les preuves de ses agissements criminels.

James était extrêmement satisfait des objectifs qui lui avaient été assignés : John lui avait demandé de se détourner de Max et Liza afin de se concentrer sur la collecte d'informations concernant Will Clarke. Pour ce faire, il devait poursuivre et approfondir sa relation avec Hannah, ce qui lui convenait parfaitement. À bord de la Ford qui le ramenait à Palm Hill, il lui adressa un SMS enflammé. Les deux amoureux planifièrent un rendez-vous pour le soir même, à minuit.

∴

Il se rendit à l'appartement des Tarasov pour disputer un tournoi de FIFA. Il fit équipe avec Max. Liza, qui n'éprouvait aucun intérêt pour les jeux vidéo, se contentait de recevoir les ballons et d'enfoncer des boutons au hasard. Charlie, son coéquipier, compensait largement ses faiblesses.

Il dosait magnifiquement ses passes, maîtrisait parfaitement les tirs brossés à l'extérieur de la surface de réparation et, pour ne rien arranger, jouissait d'une chance insolente. Lorsque Arsenal s'inclina face à Chelsea avec trois buts d'écart pour la deuxième fois consécutive, Max piqua une colère biblique et accusa ses adversaires d'utiliser un *cheat code*. Il jeta son contrôleur contre le mur et quitta la pièce en hurlant des insanités.

— Quel abruti, lança Liza en secouant la tête avec lassitude. Oncle Léon le gâte trop.

— Vous voulez continuer à jouer ? demanda James.

Liza lança à Charlie un sourire plein de sous-entendus.

— Je crois qu'on va plutôt aller dans ta chambre, dit ce dernier avant de déposer un baiser sur les lèvres de sa petite amie.

James hocha la tête.

— Faites pas de conneries, les amoureux.

— Ça risque pas, gloussa le garçon. J'ai pas envie que Léon m'envoie ses gorilles.

Liza lui adressa une petite claque à l'arrière du crâne, puis ils sortirent en se tenant par la taille.

James était mécontent de se retrouver seul dans la chambre de Max. Au fond, il le trouvait un peu rasoir. À ses yeux, il avait l'âge mental d'un garçon de dix ans.

Ce dernier refit son apparition, l'air un peu honteux, deux

canettes de Coca et un sac géant de tortillas au piment à la main, et lui proposa de poursuivre la soirée jeu. James, lassé de ses crises de nerfs, déclina la proposition. Ils glissèrent un DVD de *Jackass* dans le lecteur, puis répétèrent quelques mouvements de self-défense élémentaires.

À minuit pile, Max aida son camarade à se hisser jusqu'à la trappe de service située dans l'entrée de l'appartement des Tarasov. James rampa dans un espace étroit, entre des plaques de laine de verre isolante, puis il atteignit la porte permettant d'accéder au toit. Hannah, qui l'avait précédé, lui tendit la main.

Le regard de James embrassa le ciel étoilé et les gratte-ciel illuminés de Canary Wharf, puis se posa sur la minijupe en jean et le bustier jaune de la jeune fille. Ils s'enlacèrent et échangèrent un baiser passionné.

— Je viens de m'engueuler grave avec mon père, dit Hannah. La directrice du collège l'a appelé pour lui dire que j'avais séché les cours. Je suis privée de sortie jusqu'à la rentrée.

— Ça craint.

— Je lui ai dit d'aller se faire foutre. De toute façon, ma mère et lui bossent toute la semaine, donc je suis seule à l'appartement. Il a dit qu'il allait poser un verrou sur la porte de ma chambre, alors je lui ai répondu que j'allais fuguer et tomber enceinte rien que pour l'emmerder.

James éclata de rire. Il adorait le sens de l'humour tordu de sa petite amie.

— Je parie qu'il l'a super bien pris.

— Tu parles, il est tellement con. Tout ça, c'est à cause de ce qui est arrivé à mon cousin. Il veut me garder en cage, comme un objet précieux. Mais il n'a rien compris à ce qui s'est passé. Mon père dit qu'il a subi de mauvaises influences, mais Will était défoncé du matin au soir précisément parce qu'il n'avait aucun ami. S'il continue comme ça, je finirai seule et déprimée, comme lui.

— Ton vieux a vraiment l'air bouché. Et ta mère, elle dit quoi ?

— Maman, elle est sympa, mais elle s'écrase. Quand on parle seule à seule, elle est d'accord avec moi, mais dès que mon père est là, y a plus personne. Je sais que tu n'as pas de fric et tout ça, James, mais tu as *vraiment* du bol de ne pas avoir de parents sur le dos.

— Oh, tu sais, c'est pas si génial que ça, répliqua-t-il avec un sourire provocateur. Je suis juste libre de faire tout ce que je veux, rien de plus.

— En tout cas, à partir de maintenant, j'ai décidé de ne plus écouter ce vieux con. Je sortirai quand j'en aurai envie. D'ailleurs, demain, j'ai prévu d'aller à la piscine avec les copines.

— Génial. Max m'a dit qu'il y avait des toboggans démentiels. Je peux venir ?

— Désolée, mais c'est un truc entre filles. On a supplié Liza de ne pas amener Charlie.

James consulta sa montre.

— À quelle heure tu dois rentrer ?

— On peut passer toute la nuit ici, si tu veux.

Elle avait déjà posé une couverture et deux coussins sur le revêtement goudronné du toit.

Hannah était la cinquième copine de James depuis son premier baiser, seize mois plus tôt, mais jamais il ne s'était senti aussi proche d'une fille. Elle était craquante, se comportait comme une rebelle et, tout comme lui, détestait les cours.

Après une heure passée à refaire le monde, James décida de réorienter la conversation sur le braquage. Dave ayant déjà établi que Will avait été en contact avec Léon Tarasov, il brûlait d'en savoir plus sur Michael Patel.

— Tu sais que l'ordinateur a pris feu ?

Hannah l'embrassa dans le cou.

— Ouais, j'espère que tu m'en veux pas trop. J'aurais dû t'avertir qu'il y avait beaucoup de poussière dans la cave.

— C'est pas ta faute. Si j'avais réfléchi deux secondes, je me serais méfié. Ça m'a fait bizarre d'installer les affaires de Will dans ma chambre. Elles appartenaient à un type qui est *mort*, tu vois ce que je veux dire ?

— J'ai tellement pleuré quand c'est arrivé. Pendant une semaine, j'ai pensé qu'à ça. Aujourd'hui encore, des fois, je me réveille en sueur, et je n'arrive pas à croire que tout ça est réel.

— Tu penses qu'il avait des problèmes ? Un secret, une petite amie en cloques ou un truc dans le genre ?

— Will ? une petite amie ? On voit bien que tu l'as pas connu.

— Quoi ? Il était *gay* ?

— Non, enfin, pas que je sache. Mais il n'a jamais eu de copine de toute sa vie.

— C'était quand, la dernière fois que tu l'as vu ?

— Pourquoi tu poses toutes ces questions ?

James réalisa alors qu'il venait de se comporter comme un enquêteur de police.

— Je sais pas, dit-il, l'air faussement indifférent. Un peu de curiosité morbide, je suppose. On arrête d'en parler, si ça te fait de la peine.

Hannah, visiblement satisfaite de cette explication, esquissa un petit sourire.

— T'inquiète. Tout ça est arrivé il y a plus d'un an. J'ai passé le cap. La dernière fois que je l'ai vu, c'était sur la coursive, deux jours avant sa mort. Il avait l'air complètement déchiré mais de bonne humeur. Il m'a dit qu'il s'était fait pas mal de fric, et il avait l'intention de se payer des vacances en Thaïlande.

James se souvint d'un guide touristique Lonely Planet aperçu dans la cave, parmi les livres de Will.

— Tu penses qu'il avait gagné cet argent en vendant de la dope ?

— Il fumait beaucoup, mais ce n'était pas un dealer. Il réparait et configurait des ordinateurs pour les gens du coin. En fait, il venait de finir un boulot pour Léon Tarasov.

— Ah ! d'accord, dit James en notant cette information dans un coin de sa mémoire.

Il passa la main dans ses cheveux et arracha volontairement la croûte qui s'était formée sur la peau de son crâne.

— Aooow, gémit-il.

Hannah se redressa, l'air inquiet.

— Qu'est-ce qui se passe ?

— Ça s'est remis à saigner. Tu sais, là où ce salaud m'a cogné contre le toit de la voiture.

Hannah examina le doigt ensanglanté de James.

— Mon pauvre chou, murmura-t-elle, un sourire niais sur le visage.

— Michael Patel est une ordure. Max dit qu'il passe son temps à cogner les jeunes du quartier.

— Ouais, c'est ce que tout le monde dit, mais il a été hyper sympa avec moi quand Will a eu son accident. Il est arrivé sur les lieux trente secondes après. Il s'est accroupi à son chevet pour vérifier s'il y avait encore quelque chose à faire, puis il est venu nous soutenir, Jane et moi. J'étais complètement hystérique. Il m'a prise dans ses bras jusqu'à ce que je me calme… En fait, ça m'angoisse de parler de tout ça. J'ai pas envie de gâcher cette soirée.

— Bien sûr, je comprends. De quoi tu veux qu'on parle ?

— De rien, dit la jeune fille avant de plaquer ses lèvres les siennes.

...

Il se réveilla à sept heures, la vessie au bord de l'explosion et un bras privé de toute sensation coincé sous la tête d'Hannah. Il essaya de le déplacer sans la réveiller, mais elle ouvrit aussitôt les paupières.

— Oh, gémit-elle, j'ai super mal au dos.

James se leva et arpenta le toit pour se dégourdir les jambes.

— Tu crois que ton père a remarqué que tu t'étais taillée ?

Hannah haussa les épaules.

— On verra bien. De toute façon, il trouvera toujours une raison pour me crier dessus.

— Faut absolument que j'aille aux toilettes. Tu peux descendre prendre le petit déjeuner chez moi, si tu veux. Cela dit, je crois qu'il n'y a plus grand-chose dans le frigo, à part du lait et des céréales. D'ailleurs, quand j'y pense, je crois qu'on n'a même plus de céréales.

— Je suis pas sûre d'être hyper emballée, sourit Hannah.

Elle enroula les coussins dans la couverture et balança le tout par-dessus son épaule.

— Bon, ben à plus tard, dit-il.

— À ton avis, il va dire quoi, mon père, quand je lui raconterai qu'on a passé toute la nuit à faire l'amour sur le toit ?

— Hein ? s'étrangla James. Je te rappelle qu'on n'a fait *que* s'embrasser et dormir.

— Ouais, je sais, mais je ne peux pas résister à l'envie de voir sa tronche.

James se tordit de rire.

— Tu es *malade*, Hannah. Essaie de ne pas prononcer mon nom. J'ai pas envie de prendre un coup de machette ou un truc dans le genre.

— À ta place, je ne m'inquiéterais pas trop pour ça. Mon père a des jambes comme des cotons-tiges et une énorme brioche. Vu la façon dont tu as démoli les deux connards samedi soir, je parierais un paquet de livres sur toi, James Holmes.

— Ça va être compliqué, vu qu'il t'a privée d'argent de poche.

Il l'embrassa tendrement puis ajouta :

— Je t'appelle plus tard. Amuse-toi bien à la piscine.

27. Pures braqueuses

James trouva son coéquipier attablé dans la cuisine devant une assiette d'œufs brouillés.

— Salut tombeur, dit ce dernier. J'ai fait des courses, t'as qu'à te servir. Alors, comment s'est passée ta folle nuit d'amour ?

James ouvrit la porte du réfrigérateur et engloutit un demi-litre de lait au goulot.

— Pas mal. Elle m'a laissé passer la main sous son T-shirt.

— Super, lança Dave sur un ton ironique.

— Sonya est là ?

— Non. J'ai dû mettre un peu de distance entre nous. Au début, c'était sauvage et tout, mais maintenant, elle passe son temps à m'envoyer des SMS pour savoir si je tiens vraiment à elle.

— La pauvre, elle sait pas à qui elle a affaire, soupira James avant de chiper un toast dans l'assiette de Dave.

— Eh, fais-toi à bouffer, protesta ce dernier. T'as toute la matinée devant toi. Moi, il faut que je parte au boulot dans une minute.

James remarqua un dossier posé sur le plan de travail.

— T'as reçu de nouvelles infos ?

— Ah ouais, j'allais oublier. C'est une copie du rapport de police concernant la mort de Will Clarke. Chloé, l'assistante de John, est passée le déposer hier soir. Tu devrais y jeter un œil, mais j'espère que tu as l'estomac solide.

James ouvrit la chemise cartonnée et découvrit une photographie A4 du corps disloqué de Will.

— Wow, s'étrangla-t-il. C'est horrible.

— Tu m'étonnes. Dire que ta copine a assisté à cette scène...

— Attends un peu, murmura James en approchant le cliché de son visage pour étudier attentivement les blessures de Will.

— Quoi ?

— La nuit dernière, Hannah m'a dit que Michael Patel était arrivé sur les lieux trente secondes après l'accident.

— Oui, je sais, c'est inscrit dans le rapport.

— Elle a dit qu'il s'était accroupi près de la victime pour vérifier les signes vitaux. Mais regarde cette photo : Will a été pratiquement décapité. Ça n'a aucun sens. Il est évident qu'il ne pouvait pas avoir survécu.

Dave semblait stupéfait.

— Tu es sûr qu'Hannah t'a dit que Michael avait touché le corps ?

— Sûr et certain. En plus, en tant que policier expérimenté, il ne pouvait pas écarter la possibilité de se trouver face à une scène de crime. Il a délibérément pris le risque de contaminer les preuves et de compromettre une éventuelle enquête.

— Laisse-moi réfléchir... Patel est arrivé sur les lieux quelques instants après la mort de Will et il s'est comporté de façon bizarre. Et s'il l'avait poussé du toit ?

— Si on admet cette hypothèse, vu qu'on ne se balade pas au sommet d'un immeuble par hasard, ils devaient avoir rendez-vous. Ça avait sans doute quelque chose à voir avec le braquage du casino. Pourtant, je ne peux pas croire qu'il ait *prémédité* de balancer Will dans le vide en plein jour. Ce serait vraiment le mode opératoire le plus débile de tous les temps.

— Je suis d'accord. En plus, l'immeuble n'est même pas très haut. Will aurait pu survivre s'il n'avait pas heurté la rambarde avant de toucher le sol. Ils ont dû se disputer et en venir aux mains. Ensuite, il a rejoint le rez-de-chaussée en quatrième vitesse. Il devait flipper à l'idée d'avoir été aperçu par des témoins.

— J'ai pigé ! s'exclama James. Il a essayé de saboter les preuves médico-légales.

Dave le considéra d'un œil complice.

— Qu'est-ce que tu veux dire ?

— S'il s'est battu avec Will, il devait avoir des gouttes de sang, des fibres de tissu ou des traces d'ADN exploitables sur son uniforme. Et le seul moyen de justifier tout ça, c'était qu'Hannah et Jane le voient en train de toucher sa victime, sous prétexte de lui porter secours.

Un sourire éclaira le visage de Dave.

— Mais bien sûr ! S'il avait été jugé pour meurtre suite aux déclarations d'un témoin, les évidences médico-légales n'auraient pas été prises en compte. Ensuite, ç'aurait été sa parole contre celle de son accusateur. Finalement, toute cette combine n'a servi à rien, vu que personne n'a assisté à la scène.

— Exactement. D'ailleurs, pour quelle raison un flic aussi expérimenté bousillerait-il une scène de crime, sinon pour se couvrir ?

— Mais tout ça, c'est que des suppositions.

— Moi, je trouve cette théorie plutôt convaincante.

— Il y a trop de variables pour être certain de quoi que ce soit, conclut Dave en consultant sa montre, mais les faits et les mobiles s'enchaînent parfaitement. Bon, il faut que j'y aille. Je ne voudrais pas arriver en retard dès mon deuxième jour de boulot. Lis attentivement le dossier et vois si tu peux trouver autre chose. Ensuite, appelle John, répète-lui ce que t'a dit Hannah et donne-lui notre version des faits.

— Ça marche.

Dave posa son *mug* et son assiette sur la montagne de vaisselle sale qui s'entassait dans l'évier.

— Malheureusement, qu'on ait tort ou raison, ça ne changera sans doute pas grand-chose. Il y a peu de chances qu'on arrive à prouver quoi que ce soit. Les faits se sont déroulés il y a plus d'un an, on n'a pas de témoin, et le corps de Will a été incinéré.

— Alors, pourquoi on continue cette mission ?

— Le braquage. C'est pour ça qu'on est ici, je te le rappelle. Si on peut rassembler davantage d'éléments prouvant que Michael et Léon étaient en affaire, ils tomberont tous les deux pour un bon bout de temps.

— Franchement, dit James en sortant deux œufs du réfrigérateur, ça me fait mal d'imaginer que l'assassin de Will pourrait rester impuni.

•.•

John était engagé sur un rond-point hérissé de panneaux indicateurs lorsqu'il entendit la sonnerie de son mobile. Il se tourna vers Lauren et Kerry, qui étaient assises sur la banquette arrière.

— Vous pouvez répondre ? Je suis complètement paumé.

Lauren attrapa l'oreillette de John sur la tablette qui séparait les sièges avant.

— Salut, James, comment ça va ?

Ce dernier était agréablement surpris d'entendre la voix de sa sœur.

— Salut. Alors, c'était comment, ces vacances ?

— Génial, sourit Lauren. Je me suis jamais autant marrée de ma vie, bien plus que l'année dernière. Bethany et moi, on a failli être renvoyées au campus parce qu'on avait piqué les fringues de deux mecs qui se baignaient à poil dans le lac. Kyle a pu retirer sa minerve, mais il s'est tordu la cheville en pariant qu'il pouvait sauter en skateboard par-dessus deux voitures. Jake et deux de ses copains ont démoli un jet-ski sur les rochers. C'était complètement dingue.

— J'ai trop les boules de pas avoir pu venir, dit James. John est en ligne ? Qu'est-ce que tu fous dans son bureau ?

— Je suis dans sa bagnole avec Kerry. Il a demandé du personnel supplémentaire à Zara, et c'est sur nous que c'est tombé.

— Ah bon ? Et vous allez où, là ?

— On est chargées d'effectuer une perquisition clandestine chez un certain Michael Patel.

— OK, je vois très bien qui c'est.

— Tu devrais voir notre dégaine, James. On est fringuées comme des pures braqueuses. J'ai des Reebok rouges, un pantalon de survêtement, d'énormes boucles d'oreilles et une tonne de maquillage. Je te jure, on fait peur. En plus, on a été autorisées à utiliser ta méthode préférée.

— Vous allez vandaliser la baraque ? s'étrangla James.

Lauren tira un ordre de mission de sa veste de survêtement et en lut un extrait à haute voix :

— *Les agents ont pour mission de réaliser des copies de documents financiers et de données informatiques appartenant à Michael et Patricia Patel. Afin de minimiser les soupçons, ils devront simuler un cambriolage en dégradant les lieux et en subtilisant des objets de valeur.*

— Vous avez vraiment du bol. Tu sais depuis combien de temps j'ai pas fait ça ?

— Kerry est assise à côté de moi. Tu veux lui dire deux mots ?... Oh, attends, non, elle me fait signe qu'elle ne veut pas te parler. Je crois qu'elle te fait toujours la gueule.

Cette information avait douché l'enthousiasme de James. C'était un rappel douloureux du statut de pestiféré qui l'attendait au campus.

— On vient d'entrer sur l'autoroute, dit Lauren. Je te passe John.

Il entendit quelques chocs sourds et des frottements, puis la voix du contrôleur de mission résonna dans l'écouteur.

— Salut, James. Tu voulais me parler ?

..

Une heure plus tard, John immobilisa la Vauxhall à quelques centaines de mètres de la maison où vivaient Michael et Patricia Patel.

— Bonne chance, les filles. Millie m'a assuré que Michael était de service ce matin. Patricia assiste à une réunion, à la crèche. Sonnez quand même avant d'entrer, on ne sait jamais. Si les choses tournent mal et que vous êtes arrêtées par la police, ne faites aucune déclaration. Je vous exfiltrerai dès que possible.

Les jeunes filles descendirent du véhicule. Il faisait un temps superbe. Elles échangèrent un sourire puis marchèrent d'un pas décidé vers la maison des Patel, une bâtisse des années trente qui affichait de sérieux signes de décrépitude. Constatant qu'aucune voiture n'était garée dans l'allée, Kerry appuya sur la sonnette.

N'obtenant pas de réponse, elle tira un pied-de-biche de son sac à dos et fit sauter la vitre située sur la partie supérieure de la porte. Des débris de verre retombèrent bruyamment dans l'entrée. Lauren jeta un regard circulaire aux alentours pour s'assurer que ce vacarme n'avait pas attiré l'attention des voisins.

Elles enfilèrent des gants de jardinage puis ôtèrent attentivement les morceaux tranchants restés fixés au cadre de la fenêtre.

— C'est plus étroit que sur la photo de surveillance, soupira Lauren, la mine anxieuse.

— Ça ira, sourit Kerry. Tu es toute mince.

Elle souleva Lauren par les hanches puis l'aida à se glisser dans l'ouverture.

— C'est bon, tu peux me lâcher, dit cette dernière lorsque ses mains touchèrent la moquette de l'entrée.

Elle se redressa, glissa sur une petite voiture et se tordit la cheville. La peinture était écaillée et constellée de traces de doigts. Une odeur de tabac froid flottait dans les airs. Elle constata que la porte d'entrée était fermée à clé.

Elle traversa le salon et déverrouilla le panneau central de la baie vitrée pour laisser entrer sa coéquipière.

— Millie a dit que l'ordinateur se trouvait à l'étage, dans la chambre du fond. Tu t'occupes de copier le disque dur, et je reste au rez-de-chaussée pour dupliquer les documents.

— À vos ordres, capitaine, lança sa camarade avant de disparaître dans l'escalier.

L'ordinateur était couvert de traces de feutre, le clavier maculé de taches jaunâtres et poisseuses, du jus d'orange, sans l'ombre d'un doute. À l'évidence, les Patel n'étaient pas des maniaques de la propreté et de l'organisation.

Elle alluma l'unité centrale, accéda au menu *Tous les programmes* et n'y trouva que des jeux éducatifs niveau maternelle première année. Lorsqu'elle eut achevé la copie du disque dur sur la clé USB, elle arracha les câbles du panneau arrière et renversa l'écran sur le flanc. Elle saisit le clavier à pleines mains, s'en servit pour balayer les livres et les bibelots alignés sur les étagères, puis démolit le plafonnier en papier.

Elle se rendit dans la salle de bains. Elle étala du gel douche, du shampooing et du dentifrice sur les murs et le carrelage, puis, à l'aide d'un bâton de rouge à lèvres, traça sur le miroir l'inscription BONNE CHANCE POUR LE NETTOYAGE, accompagnée d'un smiley provocateur.

Elle gagna la chambre principale et fourra le contenu d'une boîte à bijoux dans les poches de son pantalon. Dans la table de nuit, elle dénicha deux cartes de crédit, une centaine de livres et un petit sachet de cocaïne.

— Vilain garçon, dit-elle, le sourire aux lèvres, avant de vider le tiroir sur le lit.

La penderie renfermait six uniformes rangés dans des

housses de teinturier. Elle les détacha de la tringle et éparpilla au sol des sous-vêtements rangés dans un casier. Alors, elle remarqua un petit coffre-fort vissé au fond du placard. Consciente qu'elle ne disposait ni des outils ni des compétences nécessaires pour le forcer, elle s'empara de son appareil photo numérique et effectua deux clichés en gros plan du numéro de série.

Satisfaite de sa trouvaille, Lauren alla inspecter la chambre de Charlotte, la fille de Michael et Patricia Patel. Elle y renversa une caisse de jouets et une boîte de jeux, puis, ne se sentant pas le cœur d'endommager les jouets d'une fillette de trois ans, regagna le rez-de-chaussée.

Elle trouva Kerry agenouillée au milieu d'un océan de papiers. Cette dernière avait déniché un monceau de documents en vrac dans un placard, un mélange inextricable de relevés de compte, factures, échéanciers de crédit et offres publicitaires promettant des prêts à taux imbattable ou des assurances automobiles à prix sacrifié. Malgré l'efficacité de son scanner à main, elle avait compris qu'il lui faudrait des heures pour reproduire cette masse d'informations.

— Je ne sais pas combien de temps il nous reste, soupira-t-elle, mais on ne pourra pas tout copier, même si les Patel ne rentrent qu'à minuit.

Lauren s'accroupit à ses côtés.

— Aide-moi à faire le tri, poursuivit Kerry. On cherche en priorité les reçus de carte de crédit, des relevés de compte bancaire et les factures téléphoniques. Le reste, on laisse tomber.

Une heure durant, elles travaillèrent comme des automates, répétant les mêmes gestes jusqu'à récolter des crampes au dos et aux épaules. Soudain, le téléphone de Kerry émit une sonnerie discrète.

— Je ne sais pas ce que vous foutez les filles, dit John, mais Patricia vient de se pointer en haut de la rue.

— Bien reçu. On lève le camp.

Kerry referma son portable, se redressa d'un bond et fourra son scanner dans son sac. Lauren éparpilla les papiers dans la pièce, renversa la table basse et faucha quelques DVD. Elles étaient sur le point de franchir la baie vitrée lorsqu'elles virent la BMW grise de Patricia ralentir dans l'allée.

— Et merde ! s'exclama Kerry. Va falloir passer par-derrière.

Elles se ruèrent dans la cuisine et, comme la porte donnant sur le jardin était aussi verrouillée, Lauren se hissa sur le plan de travail, ouvrit la fenêtre et se laissa glisser jusqu'à un buisson.

— Non, Charlotte, pas toucher, dit Patricia, qui se trouvait devant l'entrée. Ça coupe, c'est du verre cassé.

Kerry suivit sa camarade. Les jeunes filles progressèrent furtivement jusqu'à la palissade à hauteur d'épaule qui séparait le jardin de la rue. Elles pouvaient entendre la femme sangloter au téléphone.

— Je ne sais pas, chéri, je n'ose pas entrer. Ils sont encore à l'intérieur. Je vois des papiers dispersés partout dans le salon, et je crois que j'ai entendu du bruit…. D'accord, j'appelle la police. Mais tu rentres dès que possible, hein, Michael ?

Kerry passa la tête par-dessus la clôture. Patricia, terrorisée, pleurait toutes les larmes de son corps, sous le regard médusé de sa fille.

— Je crois qu'elle a trop la trouille pour nous courir après. En plus, elle ne peut pas laisser la petite toute seule.

Lauren hocha la tête.

— OK, on pique un sprint.

Sans plus attendre, elles enjambèrent la palissade puis s'élancèrent sur le trottoir, frôlant Patricia au passage.

— Oh mon Dieu, je les vois ! cria cette dernière dans le téléphone. Deux filles aux cheveux bruns. Elles remontent Tremaine Street en courant, en ce moment même.

John était garé à un carrefour, à une rue de là, portes arrière grandes ouvertes. Les filles se jetèrent sur la banquette.

— La pauvre, murmura Kerry, ça doit être un vrai traumatisme de trouver sa maison sens dessus dessous.

Le contrôleur de mission écrasa la pédale d'accélérateur.

— On ne fait pas d'omelette sans casser des œufs, lança Lauren, répétant une phrase maintes fois entendue au cours de son entraînement à CHERUB.

En réalité, elle se sentait un peu coupable d'avoir pris tant de plaisir à mettre à sac la salle de bains.

— Alors, la récolte a été bonne ? demanda John. Vous êtes restées des plombes dans la baraque.

— Des documents financiers, essentiellement, expliqua Kerry. Environ quatre cents pages. Ça a pris du temps, parce que rien n'était classé.

— Et l'ordinateur ?

— J'ai copié toutes les données, mais à moins que tu n'aies une furieuse envie de jouer à *Jimmy l'ourson apprend l'alphabet*, je doute que tu y trouves ton bonheur.

28. Intime conviction

John travaillait désormais à plein temps sur la mission Tarasov. Lassé d'effectuer quotidiennement le trajet entre Londres et le campus, il avait réservé une suite dans un hôtel situé au bord de la Tamise. Lauren et Kerry avaient reçu une assignation provisoire, et devaient se tenir prêtes à regagner le campus dès que leur présence ne serait plus jugée nécessaire à la réussite de l'opération.

John et les filles récupérèrent les cartes magnétiques à la réception, puis empruntèrent l'ascenseur vitré jusqu'au dix-septième étage.

Chloé Blake, un ex-agent qui venait de prendre ses fonctions de contrôleuse de mission adjointe, s'affairait dans l'une des pièces. Elle était chargée de classer les dossiers dans les étagères métalliques, de configurer les ordinateurs portables et d'établir la liaison satellite avec le campus. Kerry et Lauren défirent leurs bagages dans la chambre voisine, prirent une douche puis, vêtues de peignoirs blancs brodés au nom de l'hôtel, commandèrent de la nourriture thaïe au *room service*.

Leur repas achevé, elles s'étendirent sur les lits jumeaux pour regarder MTV.

— Je vous rappelle que vous êtes en opération, fit remarquer John. Ce n'est pas le moment de se la couler douce. Kerry, je veux que tu imprimes les documents que tu as scannés et que tu essayes de découvrir s'ils contiennent des informations exploitables. Lauren, envoie les données de l'ordinateur des Patel par e-mail au campus.

— Oui chef, répliqua Kerry.

— Je n'ai aucune envie de plaisanter. Les vacances sont terminées !

— C'est pas si évident, John. C'est trop la classe, cet hôtel.

Le contrôleur de mission, habituellement d'humeur égale, se précipita dans la pièce voisine, attrapa une photo du corps de Will Clarke et la brandit devant les yeux des filles.

Aucune d'elles n'avait encore consulté le dossier de police. Elles blêmirent.

— J'essaye de coincer les gens qui ont fait *ça*, gronda John. J'espérais que vous seriez aussi motivées que moi.

— Désolée, murmura Kerry, sous le choc, avant de se lever et d'attraper son jean posé sur le dossier d'une chaise.

Lauren regardait fixement la pointe de ses pieds.

— Ouais, excuse-nous, gémit-elle. On s'y met tout de suite.

∴

John avait convoqué tous les membres de l'équipe pour une réunion à vingt et une heures. James et Dave garèrent la Ford dans le parking souterrain de l'hôtel, puis empruntèrent l'ascenseur. Il s'arrêta au rez-de-chaussée, laissant entrer Lauren et Kerry. Elles portaient des peignoirs et des chaussures de piscine.

— Eh ben, y en a qui s'embêtent pas, lança Dave. Vous avez pas honte de glander dans la piscine d'un quatre-étoiles pendant que James et moi, on moisit dans une cité pourrie ?

— James adore ce genre d'environnement, répliqua Lauren. C'est son habitat naturel. Et puis, je te ferai dire que Kerry et moi, on a passé quatre des cinq dernières heures à éplucher les relevés de compte des Patel. John nous a permis de faire une pause, alors on a décidé de piquer une tête avant la réunion.

James pouvait sentir le chlore sur la peau de Kerry. Il n'avait pas beaucoup pensé à elle depuis qu'il avait rencontré Hannah, mais il la trouvait plus mignonne que jamais. Il crevait d'envie de poser ses lèvres sur sa joue encore humide.

— Dix-septième étage, on y est, annonça Dave avant de fouler la moquette épaisse du couloir qui menait à la suite.

John, Chloé et Millie, vêtue de son uniforme de service, se trouvaient en compagnie d'un barbu nommé Schott, conseiller juridique et membre du comité d'éthique de CHERUB.

Lauren et Kerry s'isolèrent dans leur chambre pour se changer, puis tous les participants à la réunion s'installèrent en cercle dans la pièce qui faisait office de quartier général, se partageant canapé, chaises, tabourets et table basse.

— OK, dit John. Je suis heureux que vous ayez tous pu être présents. Depuis la découverte de l'ordinateur de Will Clarke il y a deux jours, nous avons accumulé une masse considérable d'informations. Chloé, les filles et moi avons passé les dernières heures à essayer de remettre tous les éléments dans l'ordre. Je vais vous faire un topo sur ce que nous avons découvert. N'hésitez pas à m'interrompre si vous constatez des incohérences ou si vous avez quoi que ce soit à ajouter. Tout d'abord, nous avons établi que Léon Tarasov et Michael Patel étaient tous deux des clients réguliers du *Golden Sun*, et qu'ils y avaient contracté une dette importante. Nous savions déjà que Léon avait traversé une mauvaise passe financière. L'examen des papiers copiés par les filles ce matin révèle qu'au moment du braquage, Michael et Patricia n'avaient pas pu payer les traites de leur maison depuis plusieurs mois, qu'ils devaient plus de trente mille livres à diverses sociétés de crédit à la consommation et qu'ils n'avaient pas fini de payer leurs deux voitures. Autrement dit, ces deux hommes avaient désespérément besoin d'argent. Selon un rapport de police, le 16 mai de l'an dernier, un membre du personnel du *Golden Sun* s'est introduit dans la salle informatique et a dérobé le disque dur sur lequel étaient sauvegardées les données du casino. Nous ne savons pas qui a fait le coup, mais Will Clarke possédait une copie de ces fichiers gravés sur un CD-ROM, accompagnée des mots de passe utilisés par Éric Crisp et Patricia Patel. Trois semaines plus tard, le 7 juin, aux alentours de dix-sept heures, le directeur du casino, Ray Li, a appelé un technicien pour signaler un dysfonctionnement du système de vidéosurveillance. L'équipe de dépannage, qui n'est intervenue qu'après le braquage, a découvert plusieurs câbles sectionnés et a conclu, sans doute possible, à un sabotage. L'établissement a fermé à quatre heures du matin, le 8 juin, et est resté sous la surveillance d'Éric Crisp. Dans les deux heures qui ont suivi, deux hommes masqués ont pénétré dans le casino par la porte du personnel en utilisant une clé. Crisp a affirmé avoir été attiré au rez-de-chaussée par un bruit suspect, avant d'être maîtrisé, ligoté et assommé d'un coup de matraque. Bien entendu, cette scène n'a pas été capturée par le système vidéo saboté plus tôt dans la journée. Les policiers d'Abbey Wood ont saisi les bandes de surveillance des immeubles voisins, mais elles n'ont livré aucune information.

— Comme par hasard… lâcha James.

John poursuivit l'exposé des faits.

— Les deux braqueurs ont ensuite utilisé les codes en leur possession pour ouvrir les coffres et ramasser l'argent liquide. La version officielle avance la somme de quatre-vingt-dix mille livres, mais nous pensons que le butin s'élevait à au moins six cent mille livres. Éric a déclaré avoir signalé le vol à la police dès qu'il a repris connaissance. Il a aussitôt été conduit à l'hôpital et soigné pour une légère plaie à la tête et des brûlures de corde aux poignets et aux chevilles. Dans tous les vols à main armée, l'agent de sécurité est le suspect numéro un, tout comme un conjoint est toujours soupçonné d'un meurtre. Éric Crisp a été longuement interrogé, mais c'est un ancien policier et il sait comment réagir dans une salle d'interrogatoire. Il s'en est tenu à son scénario et ne s'est pas contredit une seule fois. Cependant, au cours des mois suivants, tous nos suspects se sont comportés comme s'ils avaient gagné à la loterie. Éric Crisp a vendu sa maison de Battersea, a quitté son boulot au casino et a disparu de la circulation. Léon Tarasov et Michael Patel ont remboursé leurs dettes. Léon s'est payé le *Queen of Russia*. Michael a emmené sa femme en croisière dans les Caraïbes, offert à sa mère quinze mille livres pour acheter son appartement HLM et – c'est mon détail préféré – il a fait l'acquisition d'une BMW à dix-sept mille livres chez *Tarasov Prestige Motors*.

Les membres de l'équipe échangèrent des sourires amusés.

— OK, John, tu m'as convaincu, dit Dave. Mais est-ce que ces faits tiendraient devant un tribunal ?

John se tourna vers le barbu assis sur la table basse.

— Monsieur Schott, vous êtes expert en la matière. Voulez-vous répondre à cette question ?

— Nous ne disposons d'aucune preuve formelle, ni bande vidéo ni empreintes digitales, mais les preuves circonstancielles sont assez solides. Si nous transmettions nos informations à la Criminelle, je suis persuadé que Tarasov, Crisp et Patel seraient interpellés et interrogés, puis que leurs domiciles et leurs lieux de travail feraient l'objet d'une perquisition. Je pense pour ma part que Patricia Patel est le point faible de toute l'affaire. Je vois mal Michael, Éric et Léon craquer au cours d'un interrogatoire. En revanche, Patricia n'a aucune expérience de la pression policière. Elle n'a même pas récolté une amende pour excès de vitesse. Si les choses tournent au vinaigre, elle ne pensera qu'à sa fille. Pour peu que les flics lui foutent les jetons et lui proposent l'impunité, je suis prêt à parier qu'elle déballera tout ce qu'elle sait.

— Excellentes nouvelles, dit John. Nous avons des

chances d'obtenir des condamnations pour le cambriolage. Le problème, c'est que trois des quatre suspects n'ont pas de casier, que l'un d'eux est un policier en activité et que même Léon Tarasov ne s'est fait coincer que pour des faits sans réelle gravité. Ils n'ont pas utilisé d'armes à feu et n'ont pas eu recours à la violence, à l'exception de la mise en scène consistant à frapper Éric Crisp à l'aide d'une matraque. Dans cette histoire, personne ne risque plus de six années de détention. Compte tenu du système de remise de peine et de liberté conditionnelle, ils seront tous dehors dans trois ans.

James afficha une mine dégoûtée.

— Quoi ? Si tôt que ça ?

— En tant que policier, Michael récolterait peut-être un peu plus, mais pour le reste, John a raison, précisa Mr Schott.

— C'est nul, gronda Dave. Et Will dans tout ça ? Tout le monde a l'air de se foutre qu'il soit mort.

John lui adressa un sourire.

— Attendez les garçons, je n'ai pas terminé. J'ai de nouveau étudié les photos du corps et je suis d'accord à cent pour cent avec votre théorie : l'attitude de Michael Patel sur les lieux de l'accident est extrêmement louche. Il connaissait la victime et tous deux étaient liés au cambriolage. Le CD-ROM dissimulé à l'intérieur de l'ordinateur prouve que Will a soit voulu conserver des preuves contre ses complices au cas où les choses auraient mal tourné, soit envisagé de les faire chanter pour obtenir une part du gâteau plus importante. Tous ces éléments mis bout à bout, j'ai la conviction que Michael Patel a tué Will Clarke. Est-ce que tout le monde pense comme moi ?

Lauren et Kerry hochèrent la tête.

— Sûr à quatre-vingt-dix pour cent, dit Dave.

James secoua la tête.

— Je dirais quatre-vingts.

Un sourire apparut sur le visage de Chloé.

— Il va être difficile d'établir des statistiques, mais je pense aussi qu'il est coupable.

— Je vous suis, lâcha Mr Schott.

John se tourna vers Millie. Elle semblait bouleversée. L'espace d'une seconde, James crut qu'elle allait se remettre à pleurer.

— Je veux qu'il pourrisse en prison pendant *très, très* longtemps.

— Alors on est tous d'accord ! s'exclama Dave. Cependant, pour faire condamner Michael, il faudra convaincre douze jurés. Nos preuves sont insuffisantes, vous ne croyez pas ?

— Pour le moins, dit Schott. Nous nous basons sur des présomptions, sur le fait que Patel a touché le corps, mais un avocat habile affirmera qu'il s'est comporté de façon étrange parce qu'il était traumatisé par ce qui venait de se produire. Même si l'ensemble des jurés avaient l'intime conviction que Patel est coupable, le juge leur recommanderait de l'acquitter, faute de preuves matérielles.

— Nous-mêmes, on n'a pas de certitude absolue, ajouta Chloé.

— Ça veut dire qu'on l'a dans l'os ? demanda Lauren.

— Même si je n'y crois plus trop, nous devons poursuivre la mission et tâcher de réunir des preuves grâce à des méthodes d'enquête conventionnelles, dit John. Il faut les pousser à avouer.

— T'es en plein délire ! s'exclama James. Tarasov et Patel ne parleront jamais.

— Fais-moi crédit d'un peu d'intelligence, James. Je n'ai pas l'intention de traîner Tarasov et Patel au poste de police de Palm Hill, de leur préparer une bonne tasse de thé et de leur demander gentiment de se comporter comme des gentlemen. Je veux leur tendre un piège.

— Comment ?

— J'ai déjà quelques idées, mais la préparation de cette opération va prendre pas mal de temps. Dix jours, peut-être quinze.

— Et qu'est-ce qu'on fait pendant ce temps-là ? demanda Lauren.

— James et Dave resteront à Palm Hill. Ils continueront à infiltrer la famille Tarasov. Kerry et toi allez rentrer au campus. Vous reviendrez ici un ou deux jours avant le jour J.

29. Parfaitement disciplinés

John et Chloé mirent plus de temps que prévu à dresser le piège destiné à faire tomber les protagonistes de l'affaire *Golden Sun*.

James passa les dix-neuf jours qui suivirent la réunion à errer dans Palm Hill. Il jouait au football, effectuait des raids à vélo ou traînait près du réservoir en compagnie de Max et Charlie, puis rejoignait Hannah dès que ses parents avaient le dos tourné. Ces vacances n'avaient rien de comparable avec le séjour à la résidence dont il avait été privé, mais il était déterminé à oublier ses récents démêlés avec les autorités du campus et à s'amuser coûte que coûte.

MARDI, 20 H 58

La mission de routine s'était peu à peu transformée en une opération extrêmement complexe. L'équipe avait établi un centre de contrôle dans une suite voisine de celle qu'occupaient John et les filles.

Le sol était jonché de câbles électriques entremêlés. Trois antennes paraboliques avaient été installées sur le balcon. Des ordinateurs, des écrans de contrôle, des magnétophones à bande, des téléphones, un générateur de secours et un émetteur-récepteur radio trônaient sur une longue table de métal. Les moniteurs en activité diffusaient les prévisions météo de la BBC et de CNN.

Chloé se traînait à quatre pattes sous l'une des consoles,

une grappe de câbles sur l'épaule. James s'assit devant une unité centrale et approcha un doigt du bouton *reset*.

— Eh, Chloé, qu'est-ce qui se passerait si j'appuyais là-dessus ?

— Tu passerais les six prochains mois dans le plâtre, répliqua la jeune femme.

James examina la carte de Londres affichée à l'écran.

— John a donné le top ?

— Pas encore, mais les conditions sont bonnes. Les météorologistes de la BBC prévoyaient de la pluie pour ce matin, mais ils ont changé d'avis.

— Pourquoi la météo est-elle si importante ?

— Nos équipes de surveillance utilisent des micros laser et toutes les liaisons sont relayées par satellite. S'il se met à pleuvoir, et surtout s'il y a de l'orage, la moitié de nos signaux se perdront dans la nature.

— Je vois. Comme quand on regarde un match de foot sur Sky et que l'image se fige au moment où Thierry Henry se retrouve seul devant le gardien.

— Exactement.

— J'ai jamais vu autant de fils électriques de toute ma vie. Comment tu fais pour t'y retrouver ?

— Ben j'essaye de me concentrer, et tu ne rends pas les choses faciles. J'ai trente-sept machines à brancher sur les prises électriques, plus de cinquante câbles à connecter et un réseau Wi-Fi à configurer. Je ne veux pas être désagréable, mais est-ce que tu pourrais, *s'il te plaît*, aller voir ailleurs si j'y suis ?

— OK, OK, dit James en levant les mains en signe de reddition. Appelle-moi si tu as besoin de quelque chose.

Il franchit la porte donnant sur la suite d'habitation qu'il trouva étrangement calme. Il s'attendait à voir Lauren et Kerry avachies devant MTV, dans une position strictement identique à celle qu'elles occupaient deux minutes plus tôt, mais la télé était éteinte, et elles semblaient s'être volatilisées. Supposant qu'elles s'étaient retirées dans leur chambre, il se laissa tomber dans le canapé, actionna la télécommande et fixa son choix sur un épisode des *Simpsons*.

Aussitôt, les lumières s'éteignirent. Une main saisit l'arrière de son T-shirt, puis une cascade de pop-corn déferla dans son cou. Il poussa un hurlement et se dressa d'un bond. Kerry actionna l'interrupteur.

Lauren bondit de derrière le canapé, le visage éclairé d'un large sourire. James ôta son T-shirt et se secoua pour se débarrasser des morceaux de pop-corn collés dans son dos.

— Tu vas me le payer, gronda-t-il à l'adresse de sa sœur.

— Faudrait déjà que tu m'attrapes.

Lauren était si vive et si rapide qu'elle aurait pu représenter l'Angleterre aux jeux Olympiques. James savait qu'il n'avait aucune chance de la capturer à la régulière. Il poussa violemment le canapé en avant. Son adversaire, réalisant qu'elle était sur le point d'être clouée au mur, enjamba le dossier et s'écroula parmi les coussins.

Il se jeta sur elle et l'écrasa de tout son poids.

— Je peux pas respirer, gémit-elle.

James saisit une poignée de pop-corn répandu sur le sofa puis tira l'élastique du short de sa sœur.

— *Non*, couina-t-elle. Pas dans la culotte. Si tu fais ça, c'est la guerre, James ! C'est la guerre !

21 h 06

Deux hommes robustes franchirent la double porte du bar de l'hôtel. John, assis à une table isolée, comprit immédiatement à qui il avait affaire. Au cours des années passées dans la police et les services de renseignements, il avait appris à renifler les flics en civil à des kilomètres. Tout en eux trahissait leur fonction : même jean, même ventre proéminent, même coupe-vent noir, même démarche faussement décontractée.

— John Jones ? demanda le plus vieux en posant un sac de sport Adidas sous la table.

— Greg Jackson et Ray McLad, je suppose. Asseyez-vous. Qu'est-ce que vous prenez ?

Ray et Greg travaillaient au Bureau des Affaires internes de la Police métropolitaine, une unité chargée d'enquêter sur des faits de corruption ou de brutalité policière. Ils commandèrent deux pintes de bière, que John alla chercher au bar.

— Votre e-mail nous a intrigués, dit Greg. Flics pourris, braquage et meurtre, ça fait beaucoup pour une seule affaire. Comment est-ce que vous comptez procéder ?

— En gros, je compte dresser les deux principaux suspects l'un contre l'autre. Si tout se passe bien, ils ne tarderont pas à avoir une franche discussion. Et quand ils évoqueront les détails de leurs activités criminelles, nos hommes auront des micros espions braqués sur eux.

— Et nous, on fait quoi dans cette histoire ? En général, les services secrets ne sont pas très enthousiastes à l'idée de collaborer avec la police.

— Je travaille avec une responsable de la Métropolitaine nommée Millie Kentner, mais mes autres agents sont plutôt… spéciaux. Ils ne pourront pas témoigner devant le tribunal, pour raison de confidentialité. Disons qu'ils n'ont pas d'existence légale. Si l'opération est un succès, on fera en sorte que toutes les preuves récoltées soient portées à votre crédit. Quelque chose me dit que vous n'aurez aucun mal à obtenir le badge d'inspecteur.

Les deux policiers firent de leur mieux pour dissimuler leur intérêt, mais John entrevit une lueur étrange danser dans leurs yeux.

— Quand vous dites que vos agents sont spéciaux, vous parlez d'informateurs, c'est ça ? demanda Greg.

— Oh non, ils sont bien plus spéciaux que ça. Un ami commun vous a recommandés parce que vous avez déjà bossé avec le MI5, mais je veux que vous sachiez où vous mettez les pieds. Si vous ébruitez la moindre information sur les agents avec lesquels vous allez travailler au cours des deux jours à venir, vous mettrez un terme à des dizaines de missions d'infiltration aux quatre coins du monde, et des vies seront en péril. Si vous nous placez dans une situation qui nous contraint à choisir entre vous et nos collaborateurs, nous n'hésiterons pas une seule seconde.

Greg et Ray échangèrent un regard entendu. À l'évidence, ils soupçonnaient leur interlocuteur d'exagérer le caractère explosif de la mission pour leur en mettre plein la vue. John s'en moquait. Il savait qu'ils prendraient ses menaces au sérieux dès qu'ils découvriraient la vérité.

— Finissez vos verres, dit-il. Je vais vous présenter les membres de l'équipe.

.:.

21 h 11

Millie occupait le même bureau exigu depuis sa prise de fonction au poste de police de Palm Hill en 1996. Pendant neuf ans, elle s'était vouée corps et âme à son travail. Elle alignait les journées de douze heures, assistait à d'interminables réunions publiques et passait la plus grande partie de son temps libre à remplir des documents administratifs.

La découverte des activités criminelles de Michael Patel avait ébranlé sa confiance. Comment avait-elle pu choisir pour bras droit une brute, un voleur et un meurtrier ? À ses yeux, elle avait commis une impardonnable faute professionnelle. Elle était fermement décidée à quitter la police dès la fin de l'opération.

Malgré la paperasse qui s'amoncelait sur son bureau, elle avait passé une demi-heure à contempler le fond de son gobelet de café en ruminant des idées noires.

Le téléphone portable glissé dans la poche de sa chemise se mit à vibrer.

— Désolée de t'avoir fait attendre, dit Chloé. Les prévisions sont bonnes. John a donné le feu vert.

— Compris, dit Millie en esquissant son premier sourire de la journée. Bon sang, j'espère juste que ça va marcher.

— Ne t'inquiète pas. John connaît son boulot. Il était déjà sur le terrain à l'époque où l'on portait des couches-culottes.

Millie était soulagée de pouvoir enfin passer à l'action après près de trois semaines de préparation. Elle poussa sa chaise vers le bureau, saisit le téléphone fixe et composa le numéro du domicile de Michael Patel.

— Allô ? fit une voix féminine.

— Pat, c'est toi ? Millie à l'appareil.

— Salut, comment ça va ?

— Pas mal. Je peux parler à Michael ?

Patricia appela son mari, puis rapprocha le combiné de sa bouche.

— Il faudrait que tu viennes dîner un de ces quatre. Ça fait longtemps…

— Ouais, ça serait sympa.

Les hurlements d'une fillette résonnèrent dans l'appareil.

— Charlotte a été insupportable toute la journée, dit la femme. Tout à l'heure, elle ne voulait pas prendre son bain. Maintenant, elle refuse d'en sortir. Michael, est-ce que tu vas te décider à prendre cet appel, oui ou merde ? Je ne peux pas laisser la petite seule dans la baignoire !

Vingt secondes plus tard, Michael saisit enfin l'appareil.

— Salut, chef. Désolé de t'avoir fait attendre. Comment ça va ?

— J'ai de mauvaises nouvelles. Tu te rappelles de James Holmes, le gamin que tu as arrêté, près du réservoir ?

— Oui. C'est le petit connard qui a démoli deux brutes de Grosvenor. Qu'est-ce qu'il a fait ?

— Son tuteur a déposé plainte contre toi. James a affirmé que tu lui avais frappé la tête contre le toit de la voiture. Tu recevras la notification 2-8-9 dès demain. Tu seras prochainement convoqué devant la commission des Affaires internes. Je voulais te tenir au courant, pour que tu puisses préparer ton témoignage.

— C'est sympa, boss, mais il n'y a pas de quoi s'inquiéter. Ce sera comme d'habitude, ma parole contre celle de cette racaille. C'est tellement chiant, ces procédures. Je vais encore perdre une demi-journée à m'expliquer devant la commission, alors que j'ai d'autres chats à fouetter.

Millie enfonça le clou.

— Il faut que je t'avertisse que le tuteur de James possède une bande provenant d'une caméra de surveillance.

— Oh, soupira Michael, manifestement sous le choc.

Il resta silencieux pendant cinq longues secondes.

— Je m'en fous, vu qu'il ne s'est rien passé, ajouta-t-il enfin.

— Évidemment. Je sais que tu n'as rien à te reprocher. Tu n'as aucun souci à te faire. Tu sais que je te soutiendrai jusqu'au bout.

21 H 17

John raccrocha son mobile et le glissa dans sa veste. Les portes de l'ascenseur s'ouvrirent sur le couloir du dix-septième étage.

— Des nouvelles ? demanda Greg.

— C'était Millie Kentner. Elle vient de parler à Patel. Apparemment, il a gobé l'histoire de la plainte. Je crois qu'il va avoir un peu de mal à s'endormir, ce soir.

— Si vous nous en disiez un peu plus sur ces agents en culotte courte ? demanda Ray.

— Dave a dix-sept ans, James et Kerry treize, et Lauren dix. Ne vous y trompez pas. Ce ne sont pas des enfants comme les autres. Ils sont extrêmement intelligents, surentraînés et parfaitement disciplinés. Je les ai vus accomplir des choses stupéfiantes au cours de l'année que j'ai passée à CHERUB.

Il glissa la carte magnétique dans la fente et poussa la porte. Des coussins et du pop-corn étaient éparpillés aux quatre coins de la pièce, sur la moquette maculée de taches sombres.

James jaillit de la salle de bains, un seau à champagne rempli d'eau à la main, et faillit percuter John de plein fouet. Il se figea puis baissa les yeux sous le regard inquisiteur du contrôleur de mission.

— Qu'est-ce que c'est que ce bordel ? gronda ce dernier.

— On a un peu chahuté, gémit James en considérant le chaos environnant. Je crois que c'est allé un peu trop loin.

Kerry déboula dans la pièce en brandissant une bouteille d'eau en plastique, un oreiller tendu à bout de bras en guise de bouclier. Dès qu'elle aperçut les trois hommes dans l'encadrement de la porte, elle s'immobilisa à son tour.

— Vous deux, contre le mur, ordonna John. Où est Lauren ?

La jeune fille émergea lentement d'un amoncellement de coussins. Son T-shirt était taché de Coca et ses cheveux constellés de pop-corn.

— Vous êtes lamentables, dit le contrôleur de mission. L'opération vient de débuter, et vous, vous vous amusez à balancer de la flotte partout. Vous savez qu'il y a pour des milliers de livres d'équipement électronique, juste à côté ? Franchement, vous avez quel âge ?

Il se tourna vers Lauren.

— Toi, tu files à la douche immédiatement. Vous deux, nettoyez la moquette. Si tout n'est pas nickel à l'arrivée de Dave, les punitions commenceront à tomber.

Greg et Ray échangèrent un regard amusé.

— Parfaitement disciplinés, ricana ce dernier.

James replaça l'aspirateur dans le local de service puis, impatient de se débarrasser des morceaux de pop-corn qui étaient restés collés sur sa peau, se dirigea vers la salle de bains. Kerry se trouvait déjà devant la porte.

— Magne-toi, Lauren ! cria-t-elle. Ça fait vingt minutes que tu squattes la douche.

— Y en a une autre à côté !

— On peut pas l'utiliser. Chloé a branché des trucs sur la prise du rasoir électrique. On ne peut pas fermer la porte et l'humidité risque de provoquer un court-circuit.

— Bon d'accord, lança Lauren sur un ton agacé. Laissez-moi encore deux minutes.

James et Kerry s'adossèrent aux murs du couloir, face à face. Le visage de la jeune fille était rouge d'avoir trop couru. Elle portait un large T-shirt qui lui descendait à mi-cuisse et une seule chaussette de sport jaune. Elle avait perdu l'autre au cours de la bataille.

James avait la vague impression que la colère de Kerry à son égard s'était dissipée. Ils avaient participé ensemble aux préparatifs de l'opération, s'étaient jeté des insultes, du pop-corn et des coussins à la figure, mais ils n'avaient pas eu l'occasion de s'entretenir en tête à tête.

Elle l'observait sans dire un mot, un léger sourire aux lèvres.

— Qu'est-ce qui t'amuse ?

— T'es marrant avec tout ce pop-corn collé dans les cheveux, dit-elle dans un murmure, comme si elle s'en voulait de lui adresser la parole.

James était dans l'incertitude. Il ne parvenait pas à interpréter l'expression de Kerry. Était-elle disposée à se laisser embrasser ou le regardait-elle avec un profond mépris ?

Il craignait son tempérament volcanique. S'il se trompait, il risquait de finir cloué au sol, un bras tordu dans le dos, mais il la trouvait absolument irrésistible. Jamais il n'avait ressenti un désir aussi violent. Un mètre les séparait et il n'y avait aucun témoin aux alentours.

James fit un pas en avant. Les yeux noirs de Kerry étaient plongés dans les siens, mais son regard restait indéchiffrable. Il posa les lèvres sur sa joue, puis recula brutalement, comme dépassé par l'audace dont il venait de faire preuve.

Un sourire éclaira le visage de la jeune fille. Elle le saisit par la taille, le plaqua contre le mur et l'embrassa sauvagement pendant vingt longues secondes. Lorsqu'ils entendirent cliqueter le verrou de la salle de bains, ils se séparèrent à la hâte et se comportèrent comme si rien ne s'était passé. Lauren, vêtue d'un peignoir taille adulte traînant jusqu'au sol, ouvrit la porte.

— Vous pouvez y aller, dit-elle avant de disparaître dans la chambre des filles.

Lorsque James s'approcha de Kerry pour l'embrasser à nouveau, il constata que son visage s'était assombri. Elle le repoussa fermement.

— Je ne t'ai pas pardonné, lança-t-elle avant de s'engouffrer dans la salle de bains et de lui claquer la porte au nez.

30. Un vrai tas de boue

23 h 07

Un van Volkswagen s'immobilisa le long du trottoir, en face de la maison des Patel. Dave coupa le moteur, descendit du véhicule, puis ouvrit la porte latérale pour rejoindre James et Kerry à l'arrière.

— Tout se passe bien ?

James, l'esprit confus, se demanda l'espace d'une seconde si son coéquipier évoquait la mission ou ses relations avec Kerry.

— Super, répondit-il, sauf qu'il fait une chaleur à crever.

— Les véhicules de surveillance n'ont pas l'air conditionné, à cause du bruit. Il va falloir vous y faire.

Le van était équipé de trois chaises vissées au plancher devant un mur d'écrans et de dispositifs d'enregistrement. Des caméras et des micros étaient dissimulés dans le toit. En cette belle soirée d'été, la chaleur produite par l'équipement électronique était telle que la température intérieure frôlait les 40 °C.

— Kerry, tu as aligné le micro laser ? demanda Dave.

— Je n'ai plus qu'à stabiliser l'image, répondit la jeune fille en manipulant les boutons situés sous un moniteur.

Une image bleutée apparut à l'écran.

— OK, dit Dave en glissant une cassette audio digitale dans chaque enregistreur. Cible une fenêtre au centre de la maison.

Kerry poussa un soupir agacé.

— Je connais le boulot, Dave, dit-elle en braquant la microcaméra sur une vitre du salon à l'aide d'un joystick. C'est bon, à toi de jouer, James.

Ce dernier activa le laser. Le faisceau invisible détectait les vibrations du verre et reproduisait grossièrement les sons émis à l'intérieur de la maison. Le signal de sortie était poussé au maximum. James tourna le bouton de volume avant que ses tympans n'explosent.

« Le gouvernement israélien s'efforce d'apaiser les tensions survenues dans la région à la suite des... »

— Ils regardent les infos, dit James.

Dave hocha la tête.

— Kerry, essaye d'autres fenêtres du rez-de-chaussée. Garde les positions en mémoire et passe régulièrement de l'une à l'autre.

Il saisit un talkie-walkie à signal crypté.

— Dave, unité un, à centre de contrôle. La surveillance audio est en place. Michael regarde la télé.

— Bien reçu, répondit Chloé. John est en position au viaduc ferroviaire. Rappelez-nous quand vous serez prêts à passer à l'action.

Mercredi, 00 h 57

Les agents patientaient dans le van de surveillance depuis deux heures. James dormait, roulé en boule sur le plancher métallique. Dave et Kerry se relayaient pour surveiller les conversations audio.

Les Patel éteignirent la télévision à 00 h 22. Michael Patel monta à l'étage, se brossa les dents et tira la chasse d'eau. Il réveilla Patricia en se mettant au lit. À 00 h 30, il lui dit qu'il l'aimait. Le micro commença à enregistrer un ronflement discret à 00 h 37.

— Ils dorment depuis vingt minutes, dit Kerry.

— Je pense que c'est suffisant.

Il saisit son talkie-walkie.

— Centre de contrôle, les Patel sont endormis. On y va.

— Bien reçu, répondit Chloé.

Dave réveilla James en lui bouchant le nez. Ce dernier poussa un hoquet et ouvrit des yeux hagards.

— Joanna… murmura-t-il, encore perdu dans ses rêves.

— Qui c'est celle-là ? s'étonna son coéquipier.

— Une fille rencontrée lors de ma première mission. J'ai fait un rêve complètement tordu. J'étais dans une tente de camping avec elle. Tout à coup, Clint Eastwood et ma grand-mère se pointaient en montgolfière et nous jetaient des cailloux.

— Ce rêve doit probablement avoir une importante signification symbolique, ricana Dave.

— Oui, ajouta Kerry. Ça signifie qu'il est complètement débile et ça, on le savait déjà.

— Les Patel sont endormis ? demanda James.

— Ouais, dit Dave. C'est à vous de jouer.

James épaula le sac à dos qui lui avait servi d'oreiller. Il sortit son émetteur de sa poche et ajusta l'oreillette.

— Test, test, dit-il.

— Je te reçois fort et clair, répondit Chloé depuis la suite de l'hôtel.

Kerry vérifia à son tour le bon fonctionnement de son dispositif de communication, puis effectua quelques réglages sur son pistolet à aiguilles. Les deux agents enfilèrent des gants en latex et se coiffèrent d'une casquette de base-ball. Dave jeta un œil aux écrans de contrôle pour s'assurer que la rue était déserte, puis il éteignit les lumières afin que ses coéquipiers puissent quitter le véhicule en toute discrétion.

— Bonne chance, chuchota-t-il. Je vous contacterai par radio si je détecte des mouvements à l'intérieur de la maison.

Les deux agents traversèrent la chaussée et contournèrent la BMW garée dans l'allée. Kerry enfonça l'extrémité du pistolet à aiguilles dans la serrure du haut et la crocheta sans difficulté.

— On entre, chuchota James dans son micro avant de franchir la porte.

Ils sortirent de leur sac des cylindres métalliques semblables à des extincteurs de poche, passèrent des masques à gaz et s'engagèrent dans l'escalier.

— Repliez-vous, lança Dave dans la radio. J'entends du bruit dans la chambre.

James et Kerry regagnèrent le rez-de-chaussée à la hâte. Patricia Patel alluma la lumière sur le palier puis marcha d'un pas traînant jusqu'à la salle de bains.

— On sort ? chuchota Kerry.

— Négatif, répondit Dave. Elle va sans doute retourner se coucher. Préparez-vous à dégager si elle descend l'escalier.

Patricia tira la chasse d'eau et regagna la chambre. James souleva son masque à gaz.

— Y a plus qu'à attendre qu'elle se rendorme.

01 H 16

James et Kerry restèrent assis dos au mur, au pied de l'escalier, pendant plus de quinze minutes. Lorsque Dave leur donna le feu vert, ils repositionnèrent leurs masques et gravirent furtivement les marches.

Soucieux d'entendre les sons provenant de la chambre de leur fille, Michael et Patricia avaient laissé la porte de leur chambre entrouverte. James et Kerry dégoupillèrent les cylindres et se placèrent de part et d'autre du lit. James se tourna vers sa coéquipière et lui adressa un signe de tête. Alors, il plaça l'entonnoir de plastique blanc de la cartouche à quelques centimètres du visage de Michael, puis il tourna lentement la vis pour relâcher le gaz soporifique. Lorsque la poitrine de sa victime se fut soulevée à sept reprises, il interrompit l'opération.

Les agents quittèrent la pièce et ôtèrent leurs masques de protection.

— Comme sur des roulettes, dit James, tout sourire.

Il pressa le bouton du transmetteur et lança :

— Dave, ici James. On a terminé avec le gaz.

— Bien reçu. Ils vont dormir pendant au moins deux heures. Je te retrouve en bas.

— Surtout, essayez de ne pas réveiller la petite, ajouta John.

Ce dernier avait consulté les dossiers médicaux des membres de la famille et avait découvert que Charlotte souffrait de crises d'asthme, un détail qui excluait l'utilisation de gaz soporifique. Kerry avait reçu l'ordre de surveiller la petite fille. En cas de réveil, elle était chargée de lui administrer un biberon de jus d'orange additionné d'un léger sédatif. Si, plus tard, l'enfant mentionnait sa rencontre nocturne avec une inconnue au cours de la nuit, ses parents penseraient sans doute qu'elle mélangeait rêve et réalité.

Kerry s'assit sur un pouf près du petit lit. James regagna le rez-de-chaussée et s'empara des clés de la BMW dans la poche de veste de Michael. Dave, un sac bourré de matériel d'écoute sur l'épaule, le rejoignit dans l'entrée. Il disposait d'une heure pour équiper chaque pièce d'un micro espion.

— J'y vais, dit James. Fais gaffe à Kerry, si la gamine se réveille. Elle sait pas s'y prendre avec les mômes.

— Compris, dit Dave. Conduis prudemment, OK ?

James quitta la maison et monta à bord de la BMW. Malgré les cours de pilotage reçus à CHERUB et son expérience de la conduite, il éprouvait toujours un sentiment d'excitation lorsqu'il se retrouvait devant un volant. En inspectant les leviers et les boutons, il se demanda combien de garçons de son âge avaient eu la chance de conduire un tel bolide. Il poussa le siège vers l'avant, de façon à ce que ses pieds touchent les pédales, boucla sa ceinture et tourna la clé de contact.

Il prit un vif plaisir à parcourir les cinq kilomètres de rues désertes qui le séparaient du point de rendez-vous. Il s'engagea dans une obscure voie pavée qui longeait un pont ferroviaire dont la plupart des arches avaient été reconverties en entrepôts. Il ralentit aux abords d'un atelier de réparation automobile. Le store métallique était relevé et le garage brillamment éclairé. James effectua une manœuvre à vitesse réduite et se rangea bord à bord avec une BMW 535i rigoureusement identique à celle de Patel : modèle, couleur, plaques d'immatriculation, éraflures sur le pare-chocs, numéro de châssis, chaque détail avait été fidèlement reproduit.

John et Greg ouvrirent les portes côté passager avant même que James ne descende de la voiture. John ôta le tapis de sol et le replaça dans la seconde BMW. James se chargea du siège enfant et des jouets de Charlotte. Greg transféra le contenu de la boîte à gants, puis la poussette et les déchets divers qui se trouvaient dans le coffre.

John ajouta la touche finale en déplaçant les emballages de bonbons trouvés dans les cendriers et la pelure d'orange posée sur la console centrale. Lorsque la mise en scène fut achevée, rien ne permettait de différencier les deux véhicules.

— Je peux conduire la copie jusqu'à la baraque de Michael ? demanda James.

— Pas question, trancha John. Il faut énormément de force dans les bras pour la diriger. Contrairement aux apparences, c'est un vrai tas de boue. Greg va te déposer à Palm Hill. Tu as besoin de sommeil. Demain, une dure journée nous attend.

02 h 17

John positionna la BMW trafiquée dans l'allée des Patel, à l'endroit précis où James avait dérobé l'originale, quarante minutes plus tôt. L'absence de direction assistée et le mauvais alignement des roues rendirent l'opération particulièrement délicate. Il descendit du véhicule, ouvrit le capot puis, à l'aide d'un tournevis, souleva le couvercle en plastique du compartiment qui abritait le système de commandes, une plaque de circuits imprimés équipée d'une rangée de puces électroniques.

John débrancha le dispositif et le remplaça par une pièce

d'apparence strictement identique. Il remonta à bord de la voiture et tourna la clé de contact. Le moteur resta muet, mais un concert de signaux sonores retentit et le tableau de bord se mit à clignoter comme un sapin de Noël. Satisfait de la réussite totale de son entreprise de sabotage, il descendit du véhicule, verrouilla les portières, puis se dirigea vers la maison.

Il replaça les clés dans la poche de veste de Michael et rejoignit Dave dans le salon. Ce dernier manipulait un ordinateur de poche Palm Pilot.

— Tout est en place ? demanda John.

— Je fais tourner un diagnostic des micros. J'en ai placé cinq. En théorie, ils devraient couvrir toute la baraque. À l'hôtel, du côté de Chloé, le signal est excellent. Tout s'est bien passé avec la bagnole ?

— Nickel. Même un catcheur professionnel aurait du mal à tourner le volant. Retourne à Palm Hill dès que tu auras fini. Tu travailles tôt, demain matin.

— Et Kerry ?

— Oh, je l'avais complètement oubliée. Ça t'embêterait de la déposer à l'hôtel sur le chemin du retour ? Il faut que je reste ici un moment. On ne peut pas se permettre de laisser Charlotte toute seule pendant que ses parents sont encore dans le cirage.

— Pas de problème.

John tira un trousseau de clés de la poche de son pantalon.

— Je rentrerai en van. Toi, prends la Mitsubishi jaune garée en haut de la rue, à une centaine de mètres sur la gauche.

— Merci, John, dit Dave en se dirigeant vers la porte. Je suis heureux que tout se soit bien passé jusqu'ici.

— On touche du bois, répliqua le contrôleur en se penchant pour poser une main sur la table basse. Conduis prudemment, et bonne chance pour demain, à la concession.

31. Panique à bord

07 H 59

À son réveil, Kerry trouva des morceaux de pop-corn collés sur ses jambes. Malgré le ménage effectué la veille, il y en avait toujours un peu partout, jusque dans ses draps. Elle avait dormi moins de cinq heures, mais elle était impatiente de connaître l'évolution de la mission.

Constatant que Lauren était déjà levée, elle enfila son jean et son T-shirt de la veille. Elle se rendit dans la salle de bains pour soulager sa vessie et se laver les dents, puis elle rejoignit Lauren, John et Chloé dans la salle de contrôle. Tous trois portaient des écouteurs.

— J'ai raté quelque chose ?

— Rien de croustillant, répondit John. Michael et Patricia sont en pleine scène de ménage.

Lauren ôta une oreillette et la tendit à Kerry.

— C'est hyper marrant, dit-elle. Ils se disputent pour savoir qui va emmener Charlotte à la crèche. La petite a piqué sa crise. Elle a renversé son bol de céréales et traité son père de *tête de nœud*.

— Michael a parlé de la plainte à Patricia, ajouta Chloé. Il n'a rien dit de compromettant, mais il semblerait que cette histoire lui tape sérieusement sur le système.

Kerry s'assit à côté de Lauren et enfonça l'écouteur dans son oreille. Le micro placé par Dave dans la cuisine captait l'environnement sonore avec une fidélité stupéfiante. Elle pouvait entendre le moindre son, du babillage de Charlotte au ronronnement de la machine à laver.

08 h 25

À Palm Hill, James dégustait des toasts au bacon en compagnie de Dave. Il lui avait décrit dans les détails le baiser échangé avec Kerry. Son coéquipier ne faisait rien pour dissimuler son désintérêt.

— Je te jure, c'était carrément sauvage ! s'exclama-t-il. Je ne sais pas où j'ai trouvé le courage de me lancer, mais j'ai eu l'impression de me prendre une décharge d'un million de volts. Tu vois ce que je veux dire ? Et puis en fait, elle me fait toujours la gueule. Enfin, ça dépend des moments... J'y comprends absolument plus rien. Qu'est-ce que je devrais faire, d'après toi ?

Dave essuya ses doigts graisseux sur son polo *Tarasov Prestige Motors*.

— Compliquée, ton histoire. Elle t'a embrassé, quand même. Ça veut dire que tu la branches.

James hocha la tête.

— C'est bien ce que je pensais.

— Et tu es sûr qu'elle n'a pas un autre mec ?

— Pas que je sache.

— T'aimes les filles compliquées, on dirait. Qu'est-ce qui ne va pas avec Hannah ? Elle te plaît pas ?

— Ben si, mais on sera séparés dans quelques jours, alors j'ai pas envie de tomber amoureux.

— Sage réaction. Ce que je pige pas, c'est pourquoi tu t'accroches à Kerry. Je vois vraiment pas ce qu'elle a de spécial.

— Je sais pas trop. Elle me rend dingue. T'as jamais connu ça, toi ? Délirer sur une fille au point que tu ne peux même pas penser à autre chose ?

— Nan, répondit Dave. En général, c'est les nanas qui sont folles de moi, et c'est assez logique, dans le fond.

— Tu crois qu'elle attend que je fasse le prochain pas ? Je devrais peut-être lui offrir un truc, ou lui faire une déclaration…

Dave se pencha en avant et tendit l'index à la verticale. James s'attendait à un conseil avisé, à une suggestion susceptible de mettre un terme à ses tourments amoureux. Il était suspendu aux lèvres de son coéquipier.

— Le problème, mon pote, c'est que je n'en ai strictement rien à foutre, de tes histoires de gonzesses.

James frappa la table d'un poing rageur.

— Oh, trop sympa. Avec toutes les meufs que tu t'es faites, tu pourrais au moins me filer un coup de main.

Dave sourit, puis avala sa dernière bouchée de toast au bacon.

— Bon, faut que j'aille bosser. J'ai des trucs plus importants à régler que ton histoire minable avec Kerry Chang.

08 H 27

Ray, posté dans le van de surveillance, vit Patricia Patel franchir la porte de la maison en portant Charlotte dans ses bras. Elle la déposa à côté de la voiture, lui tendit une valisette Teletubbies, ouvrit l'une des portières arrière, puis ajusta les lanières du siège enfant. Lorsque la petite fille fut correctement attachée, elle se mit au volant, boucla sa ceinture et tourna la clé de contact.

Le micro placé à bord du véhicule capta un soupir agacé.

— *Et merde !* lança Patricia en donnant un coup de poing dans le volant.

— T'as dit un gros mot, maman, fit observer Charlotte en pointant un doigt accusateur en direction de sa mère.

Patricia descendit de la voiture et regagna la maison.

— Michael, tu peux jeter un œil à la bagnole ? Elle ne démarre pas.

Son mari, vêtu d'un simple caleçon, la suivit jusqu'à la BMW.

— Elle a dit un gros mot, papa, répéta Charlotte, tandis que son père prenait place derrière le volant.

— C'est pas grave, ma chérie, dit ce dernier. Les grands disent des gros mots, des fois, quand ils sont énervés. Je crois que la voiture est un peu cassée et ça a mis maman très en colère.

— Tu peux la réparer ?

— Non, mon ange. Ce n'est pas le métier de papa. Je vais devoir appeler le mécanicien.

— C'est quoi, un mécanicien ?

Ignorant la question de sa fille, Michael quitta le véhicule et s'adressa à sa femme.

— Je vais passer un coup de fil à Auto Club, dit-il. Il va falloir que tu patientes jusqu'à l'arrivée du technicien.

— Pourquoi *moi* ? s'indigna Patricia. Il faut que j'emmène Charlotte à la crèche en bus et j'ai un rendez-vous chez le coiffeur.

— C'est ton jour de congé. Moi, j'ai une réunion de quartier à la mairie à onze heures et demie.

— Tu as dit qu'il n'y avait que des vieux cons à la retraite qui cherchent à emmerder leurs voisins.

— C'est exactement ça, mais je suis dans la police de proximité, et ça fait partie de mon job.

— Ça te laisse deux heures, Michael. Le mécanicien devrait être arrivé d'ici là.

Charlotte, toujours sanglée à son siège, commença à pleurnicher.

— Maman, je veux descendre.

Michael haussa le ton.

— Comme tu veux, Pat. Je vais attendre le dépanneur. Profite bien de *ton* jour de congé. J'imagine que le monde va s'arrêter de tourner si tu rates ton rendez-vous chez le coiffeur.

— Je veux descendre ! hurla Charlotte en donnant un coup de pied dans le siège avant.

— Tu ferais quoi si j'étais pas là, Michael ? hurla Patricia en ôtant la ceinture de Charlotte. Tu la laisserais attachée toute la journée ?

08 H 51

La voix de Ray résonna dans le haut-parleur de la chambre d'hôtel.

— Michael vient d'entrer dans la maison.

— Bien reçu, dit John. Chloé, bascule sa ligne téléphonique sur notre terminal.

— Ça y est, dit Chloé. On peut maintenant répondre à tous les appels sortants.

— CHERUB, les rois de la technologie, lança Lauren dans une pâle imitation de voix de bande-annonce.

Kerry gloussa.

— Vous comptez balancer vos petites blagues quand on aura Michael au téléphone ? demanda John. En plus, vous n'êtes même pas habillées. Kerry, on dirait que tu t'es coiffée à coups de mine antipersonnel. Allez vous changer, puis descendez prendre votre petit déjeuner avant la fermeture du restaurant.

— S'il te plaît, gémit Lauren, on peut pas rester pour écouter le coup de fil ?

— Non. C'est pas une radio FM, ici. On est en opération, et on a tous un rôle à tenir. Allez hop, disparaissez.

Les filles quittèrent la pièce la tête basse, puis commencèrent à se disputer pour accéder à la douche la première.

— Fermez-la, nom de Dieu ! brailla John. Prenez-la ensemble, cette douche, ça nous fera gagner du temps. Vous n'êtes pas spécialement obèses, que je sache.

Dès que les filles se furent enfermées dans la salle de bains, le téléphone relié à l'un des ordinateurs se mit à sonner. Chloé laissa s'écouler cinq secondes, puis lança un programme de gestion de hotline chargé de diffuser un message enregistré quelques jours plus tôt.

— Bonjour, ma voiture a… commença Michael Patel avant de réaliser qu'il parlait à une machine.

— *Bienvenue sur la hotline d'Auto Club. Veuillez patienter quelques instants. Un conseiller va répondre à votre appel.*

Les premières notes d'un concerto pour violon lui parvinrent aux oreilles.

— Nom de Dieu… gronda-t-il.

08 h 59

Dave déverrouilla le portail puis jeta un œil au van Mercedes orange garé de l'autre côté de la rue, d'où l'agent Greg Jackson surveillait la concession.

Il savait que Léon et Pete ne se montreraient pas avant neuf heures et quart, ce qui lui laissait une quinzaine de minutes pour procéder aux dernières vérifications. Il pénétra dans le bureau de Léon et alluma la bouilloire électrique. Il tira le Palm Pilot de son sac à dos puis lança le programme de diagnostic chargé de tester le fonctionnement des cinq micros posés dans la concession la semaine précédente. Lorsqu'il composa le code du premier dispositif d'écoute, il obtint un signal extrêmement faible. Il bascula sur les autres mouchards et ne reçut aucune réponse.

Une bouffée d'angoisse le submergea. Cette installation était un élément clé du piège tendu à Patel et Tarasov. Il ne pouvait pas se contenter d'un signal insignifiant provenant de la remise à outils. Il se pencha à la fenêtre pour s'assurer qu'il était seul, puis il activa son émetteur-récepteur.

— John, Chloé, j'ai un énorme problème, ici.

— Qu'est-ce qui ne va pas ? demanda John.

— Je capte que dalle sur le Palm Pilot. Est-ce que tu peux vérifier de ton côté ?

— OK, ne quitte pas.

Trente secondes plus tard, John répondit d'une voix anxieuse :

— Je n'ai strictement rien. Il doit y avoir un problème avec l'antenne satellite amplifiée. Où tu l'as placée ?

— Sur le toit du bureau.

— Léon arrive à quelle heure ?

Dave consulta sa montre.

— Pas avant huit à dix minutes.

— Tu penses avoir le temps de monter sur le toit pour réparer l'antenne ?

— Je peux essayer, mais qu'est-ce que je vais bien pouvoir lui dire s'il se pointe en avance ?

— Si on ne peut pas enregistrer les conversations sur la concession, la mission tombe à l'eau. Il faut que tu prennes le risque.

Dave rangea le Palm Pilot dans son sac et l'émetteur dans la poche de son short. Il traîna la poubelle de l'atelier jusqu'à la cabine de chantier, grimpa sur le couvercle et se hissa sur le toit.

Il rampa sur le métal rouillé jonché d'excréments d'oiseaux et découvrit que la petite antenne avait été renversée par une bouteille de vodka lancée depuis la rue par quelque ivrogne de passage.

Dave la remit en position, alluma le Palm Pilot, balaya rapidement les cinq fréquences de transmission et constata avec satisfaction que les micros émettaient à puissance maximale. Alors, il vit la Jaguar de Léon Tarasov s'immobiliser devant le portail. Il était fait comme un rat.

09 h 07

Sur l'écran de son ordinateur, John vit les témoins des mouchards repasser au vert.

— Excellent, dit-il. Tout est rentré dans l'ordre.

Michael Patel, qui patientait au téléphone depuis neuf minutes, répondait à l'appel automatique par des insultes épouvantables. Chloé décida qu'il était temps de mettre un terme à ses souffrances. Elle décrocha le téléphone relié à l'ordinateur.

— Auto Club, Chloé à votre service. Nous vous remercions de votre patience. Pouvez-vous m'indiquer votre nom et votre numéro de membre ?

Tandis qu'elle notait les informations que lui communiquait Michael, John s'enferma dans la pièce voisine. Il ôta sa chemise et son pantalon puis décrocha de la penderie une combinaison jaune et bleu ornée d'un logo Auto Club.

32. Étincelles

09 H 11

Dave était étendu à plat ventre sur le toit du bureau de vente, le nez à quelques centimètres d'une flaque nauséabonde. Pete descendit de la voiture et s'approcha du portail.

— C'est déjà ouvert, lança-t-il.

— Ça, c'est un coup de Dave, gronda Léon à l'intérieur du véhicule. C'est le seul à qui j'ai confié les clés. Où est-ce qu'il est passé, ce petit con ?

Ils marchèrent jusqu'à la cabine.

— La bouilloire est chaude, remarqua Léon.

— Il n'est pas aux toilettes, ajouta Pete. J'ai vérifié.

Dave ne pouvait pas atteindre la poubelle sans être vu depuis la fenêtre du bureau. Conscient qu'une fine couche de métal extrêmement sonore le séparait des deux hommes, il rampa lentement jusqu'à l'extrémité opposée de la toiture. Il balança ses jambes dans le vide et se laissa tomber dans les buissons qui bordaient le terrain vague voisin de la concession. Il heurta un pot de peinture rouillé, tituba en avant, puis tâcha de chasser la poussière dont ses vêtements étaient maculés. Courbé parmi les hautes herbes, il courut jusqu'à la palissade qui longeait la rue et se faufila entre deux planches disjointes.

Réalisant qu'il devait justifier son absence, il s'engouffra dans la boutique du marchand de journaux. Il reprit son souffle en faisant la queue pour acheter un quotidien et une pinte de lait.

Il franchit le portail deux minutes plus tard, l'air parfaitement innocent, et vit Léon Tarasov jaillir de la cabine, visiblement hors de lui.

— Salut, patron, lança-t-il.

— Ça va pas la tête, espèce de petit connard ? Dans mon bureau, immédiatement.

— Ben quoi ? fit-il mine de s'étonner.

Léon claqua la porte derrière eux.

— *Ben quoi ? Ben quoi ?* répéta ce dernier. J'arrive ici, et je découvre que tu t'es barré en laissant le portail et le bureau ouverts. Il y en a pour plus de cent mille livres de bagnoles, sur ce parking. T'es complètement débile, ou quoi ?

Dave posa la bouteille de lait près de la bouilloire.

— Y en avait presque plus, alors j'ai pensé que...

— Rends-moi tes clés immédiatement.

— Allez, quoi. J'ai juste discuté avec Mr Singh, au magasin de journaux, et j'ai pas vu le temps passer. Les clés des bagnoles sont toutes au coffre et je suis parti à peine cinq minutes.

— Tes clés, répéta Léon.

Dave sortit un trousseau de la poche de son pantalon.

— Je suis vraiment désolé, boss.

— Estime-toi heureux que ça n'aille pas plus loin. Si tu me refais un coup pareil, je te fous à la porte. Allez, dégage ! Et t'as intérêt à bosser dur, c'est moi qui te le dis. Commence par la Mini. Une cliente l'a essayée hier, et elle a fait monter ses mômes à l'arrière. Il y a des traces de doigts plein les vitres.

09 H 49

John gara la dépanneuse devant la maison des Patel et donna un coup de klaxon. Une seconde plus tard, Michael déboula dans l'allée.

— Monsieur Patel ? dit le contrôleur de mission en descendant du véhicule. C'est cette voiture qui vous fait des misères ?

L'homme hocha la tête.

— Ouais. Ma femme devait emmener la gamine à la crèche, ce matin, et la voiture a refusé de démarrer.

— Vous avez eu des problèmes auparavant ? Des bruits bizarres, des fuites importantes ?

— Je l'ai achetée il y a six mois et j'ai pas eu un seul pépin.

— De vrais petits bijoux, ces BMW. L'électronique tombe en panne de temps en temps, mais c'est les bagnoles les plus fiables que je connaisse.

John prit place devant le volant et actionna la manette contrôlant l'ouverture du capot. Il examina le moteur pendant deux minutes, vérifia la jauge d'huile et tripota quelques pièces au hasard. Enfin, il se tourna vers Michael :

— Cette voiture a été accidentée ?

Patel secoua la tête.

— Pas à ma connaissance. Pourquoi vous demandez ça ?

— Il y a des éclaboussures de peinture plein la baie moteur. Elle a été repeinte. Vous avez eu le papier du contrôle technique au moment de l'achat ?

— Je ne pensais pas que c'était nécessaire. Je connais bien le vendeur…

John esquissa un sourire. Michael venait d'admettre qu'il était lié à Léon Tarasov, et sa confession avait été captée par les micros laser du van de surveillance.

— Ce véhicule a subi de nombreuses réparations. Vous voyez les boulons qui retiennent le moteur, ici ?

Michael se pencha sous le capot.

— La peinture a coulé sur les têtes, poursuivit John. Ça ne pourrait pas arriver en usine, parce que le moteur est mis en place après.

— Qu'est-ce qui a pu se passer ?

— Difficile à dire avec certitude, mais je parierais sur un accident grave. Ça vous dérange si je regarde à l'arrière ?

— Non, allez-y, répondit Michael d'une voix mal assurée.

John ouvrit le coffre puis poussa un vibrant *ah-aaah*.

— Monsieur Patel, je crois qu'on ne vous a pas tout dit à propos de cette voiture.

Il souleva la moquette du coffre, révélant des éclaboussures de peinture rouge.

— Tiens, qu'est-ce que je vous disais ?

Michael Patel, qui travaillait dans la police depuis de nombreuses années, comprit aussitôt de quoi il retournait.

— Vous êtes en train de me dire que cette bagnole est un assemblage de deux véhicules accidentés, c'est ça ?

— C'est bien possible, dit John en faisant courir son doigt le long d'une soudure. Ça, c'est du boulot d'amateur, le genre de bricolage effectué dans un garage clandestin. Les robots de haute précision des chaînes BMW travaillent beaucoup plus proprement.

Michael Patel blêmit. Sa respiration se fit plus forte, plus saccadée. John en profita pour enfoncer le clou.

— L'avant appartenait à un véhicule de couleur grise, l'arrière à un véhicule de couleur rouge du même modèle. J'ai bien peur qu'ils n'aient été impliqués dans un accident violent. Les deux moitiés ont été grossièrement soudées l'une à l'autre.

— Je connais le principe de cette arnaque, dit Michael.

— C'est pas mal réalisé, d'ailleurs. La jointure n'est pas visible de l'extérieur. En revanche, si on soulevait votre voiture, je parie qu'on aurait une sacrée surprise. En général, les truands ne fignolent pas les parties cachées.

— Ces bagnoles rafistolées sont des cercueils roulants, gronda Michael. Quand je pense que ma femme et ma fille ont roulé dans cette épave…

— C'est dangereux, je vous le confirme. Elles n'ont pas la solidité structurelle d'une voiture d'origine. En cas d'accident, elles peuvent facilement se couper en deux. À qui l'avez-vous achetée ?

— À un type en qui j'avais confiance. J'arrive pas à croire qu'il m'ait fait une crasse pareille.

— Je ne peux pas réparer votre voiture. Elle n'est pas en état de prendre la route. Ah, j'oubliais, je dois prévenir les autorités.

À ces mots, Michael se raidit. John était aux anges. Tout son plan était basé sur la supposition que Patel perdrait les pédales à l'idée que la police s'intéresse à ses liens avec Tarasov.

— Non, non, protesta l'homme d'une voix étranglée. Inutile de prévenir la police.

— Malheureusement, je n'ai pas le choix. Je suis certain que vous êtes un homme honnête, monsieur Patel, mais la plupart des victimes de cette arnaque se débrouillent pour revendre leur voiture par petite annonce. Le règlement d'Auto Club stipule que nous devons signaler tout véhicule dangereux.

— Ne vous embêtez pas avec ça. Je suis policier moi-même. Je vais vous montrer mon insigne.

Michael se rua dans la maison et s'empara de sa carte de réquisition. Il saisit ces quelques secondes de répit pour trouver une justification crédible à son attitude. John examina la plaque et le document officiel.

— Vous voyez ? dit Patel. Le problème, c'est que votre déclaration va atterrir directement à mon poste de police. Tout le monde va se foutre de ma gueule, si ça se sait. Mais l'un de mes amis travaille au département des véhicules motorisés. Il traitera l'affaire avec discrétion, vous comprenez ?

John se gratta le menton, l'air pensif.

— J'ai l'obligation d'informer la police mais, puisque vous êtes là, devant moi, je considère que c'est chose faite.

— Merci beaucoup, dit Michael, visiblement soulagé. En plus, j'imagine que ça vous épargne pas mal de paperasse.

— À qui le dites-vous…

— Eh bien, voilà une affaire réglée.

Les deux hommes échangèrent une poignée de main. John regagna la dépanneuse et prit la direction de l'hôtel. Lorsqu'il eut parcouru quelques centaines de mètres, il attrapa l'émetteur sur le siège passager.

— Chloé, tu as tout enregistré ? demanda-t-il. Tu penses que je l'ai eu ?

La jeune femme éclata de rire.

— Tu as fait un boulot d'enfer, John. J'ai comme l'impression que Michael et Léon vont être un peu en froid, dans les heures à venir…

10 H 11

Après s'être offert un copieux petit déjeuner au buffet de l'hôtel, les deux filles rejoignirent la suite abritant le centre de contrôle.

— On a loupé quelque chose ? demanda Lauren.

— John est sur le chemin du retour.

Kerry consulta sa montre.

— Il a fait vite. Comment Patel a-t-il réagi ?

— Comme prévu, sourit Chloé. Il a tout gobé. Je viens juste d'enregistrer une conversation téléphonique entre Michael et Patricia. Elle était chez le coiffeur, alors elle devait parler à voix basse, mais elle était folle de rage. Elle a exigé qu'il aille voir Léon pour lui demander de rembourser les dix-sept mille livres. Maintenant, écoutez un peu ça.

Elle tourna le bouton de volume du haut-parleur.

— C'est le son en direct de la maison des Patel, dit-elle.

On pouvait entendre le pas lourd et nerveux de Michael sur le parquet. Sa respiration était sifflante et irrégulière. De temps à autre, il donnait des coups de pied dans les meubles.

— Pourquoi il n'a pas appelé Léon ? demanda Lauren.

— Je crois qu'il est en train de réfléchir à la façon dont il va lui présenter les choses.

Un message d'alerte s'afficha : *poste d'écoute n° 6 - appel sortant*. Les chiffres apparaissaient à l'écran à mesure que Michael Patel composait le numéro de téléphone de Tarasov.

— Je sens que ça va faire des étincelles, lança Kerry.

33. Contrôle technique

10 H 15

Dave était occupé à passer l'aspirateur dans un véhicule récemment acquis lors d'une vente aux enchères. Pete apparut sur le seuil de la cabine, un téléphone sans fil à la main.

— T'as vu Léon ?

— Il est aux toilettes.

Pete se dirigea vers le petit bâtiment en briques des sanitaires et glissa le téléphone sous la porte. Léon posa son magazine hippique et le saisit.

— Léon Tarasov à l'appareil.

— Estime-toi heureux que je ne te bute pas ! hurla Michael. Un mécano a examiné ma BMW. Tu m'as refilé une putain d'épave !

Léon ne reconnut pas la voix de son complice.

— Eh là, on se calme et on commence par le début. Qui est à l'appareil ?

— C'est moi, connard, et t'es dans la merde jusqu'au cou !

— Michael ? Qu'est-ce qui te prend ?

— Fais pas l'innocent. Le coffre est plein de peinture rouge et il y a des traces de soudure un peu partout.

— Franchement, tu me crois assez stupide pour refourguer une caisse accidentée à un flic ? Ce mécano devait être un stagiaire. J'ai acheté cette BMW à un concessionnaire qui avait trop de stock sur les bras. J'ai les documents officiels, et un historique complet. La seule raison pour laquelle je ne l'ai pas offerte à ma femme, c'est parce que tu cherchais une 535.

— Te fous pas de ma gueule, Léon ! J'ai vu ce que j'ai vu. Je veux que tu me rendes mes dix-sept mille livres.

— T'as encore fait des dettes, Michael ? Si c'est une tentative pour m'extorquer du fric, tu peux aller te faire foutre.

— J'ai payé dix-sept mille livres pour un tas de ferraille et tu le sais parfaitement.

Léon, le pantalon sur les chevilles, n'en croyait pas ses oreilles.

— Écoute, Michael, je ne comprends absolument pas de quoi tu parles.

— T'es bouché ou quoi ? Le mécanicien m'a montré l'intérieur de la baie moteur et la peinture rouge dans le coffre.

— Michael, je ne sais pas ce que tu as vu, mais je jure sur la tête de mes gosses que je ne t'ai pas vendu une épave retapée. Alors tu te calmes, et on va essayer de comprendre ce qui se passe. Tu l'as depuis combien de temps, cette bagnole ?

— Même pas sept mois.

— Tu l'as fait réviser ?

— J'ai pas eu le temps.

— D'accord. En théorie, tu es hors garantie, mais vu que tu es un ami, je vais essayer de régler ton problème. Je connais un type qui travaille pour un gros concessionnaire. Je vais te l'envoyer pour qu'il examine ta bagnole. S'il y a vraiment un problème, je prendrai en charge la main-d'œuvre et les frais d'atelier. T'auras juste à payer les pièces.

— Est-ce que tu écoutes ce que je te dis, Léon ? Arrête de m'enfumer, OK ? Tu m'as vendu deux moitiés de caisse complètement pourries soudées l'une à l'autre. Un vrai cercueil roulant. Ma femme et ma gosse auraient pu être *tuées*. Si quelqu'un d'autre m'avait fait ça, les flics seraient déjà en train de saisir toutes les bagnoles de la concession. Écoute, je dois aller à une réunion de quartier, ce matin. Après, je passerai te voir pour que tu me rendes mon fric. Ensuite, je ne veux plus jamais avoir affaire à toi. Et n'attends plus aucune faveur de ma part, ni d'aucun autre flic de Palm Hill.

— Sérieusement, Michael, ça ne tourne pas rond dans ta tête en ce moment ? gronda Léon, à bout de nerfs. Tu es un officier de police. Tu as une femme et une fille, et tu te comportes comme un débile mental. Je pensais que tu aurais compris, après l'affaire du casino.

— Tu ferais mieux d'avoir le fric, tout à l'heure, ou je ne réponds plus de rien.

10 H 54

James avait reçu l'ordre de se tenir prêt à intervenir, mais les parents d'Hannah étaient partis au travail et il n'avait pas eu le cœur de l'éconduire lorsqu'elle était venue frapper à sa porte, la poitrine moulée dans un T-shirt étroit et les ongles des pieds fraîchement vernis. Elle lui proposa d'aller à la piscine, mais il préféra l'entraîner jusqu'à sa chambre pour flirter sur le lit en écoutant l'un des CD des Rolling Stones de Dave.

— Ne réponds pas, supplia-t-elle quand le portable de James sonna.

— J'ai pas le choix. Ça doit être mon éducatrice. Après ce qui s'est passé l'autre samedi, je suis à un cheveu d'être placé en foyer.

Sur ces mots, il s'isola dans le couloir.

— John ? chuchota-t-il. Comment ça se passe ?

— Pour le moment, tout se déroule comme prévu. Michael a appelé Tarasov. Il a mentionné le casino et des faveurs accordées par des policiers de Palm Hill. Dès que la réunion à la mairie sera terminée, il se rendra à la concession. D'ici là, il faut tout faire pour les empêcher de découvrir qu'ils sont manipulés. Chloé va garder Tarasov sous pression. Je veux que tu ailles à la mairie pour jouer avec les nerfs de Patel.

— Qu'est-ce que je dois faire ?

Le contrôleur de mission expliqua en détail ce qu'il attendait de son agent.

— John, tu es tellement tordu, des fois, lança James avant d'éclater de rire.

...

— Qu'est-ce qui te fait marrer ? demanda Hannah lorsque James franchit la porte de la chambre.

— Rien, rien.

— Je croyais que ton éducatrice s'appelait Zara.

— Ouais, c'est ça.

— Le type à qui tu parlais s'appelle John. Et pourquoi tu pouvais pas téléphoner devant moi ?

— J'entendais rien avec la musique.

— Tu ferais mieux de me dire ce qui se passe, James. Tu as quelqu'un d'autre ?

— Dis pas n'importe quoi…

— Tu me caches quelque chose, et je n'aime pas ça.

— Eh bien moi, je n'aime pas qu'on m'espionne. Pour info, c'était un vieux pote de foyer. On a rendez-vous à West End, ce soir.

Hannah, furieuse, chaussa ses sandales et se dirigea vers la porte.

— Tu me prends pour une débile ! lança-t-elle. Va te faire foutre !

James n'avait aucune envie de se fâcher avec sa petite amie, mais il devait s'en débarrasser au plus vite afin d'accomplir la tâche que John lui avait confiée.

— Écoute, j'ai vraiment pas le temps, là. Je t'appelle plus tard, OK ?

— Te fatigue pas ! cria la jeune fille avant de s'engager dans le couloir.

Dès qu'il entendit la porte claquer, il courut jusqu'à la cuisine et s'empara de deux sacs en plastique *Sainsbury's*. Il prit ses clés, son mobile et sa radio, puis sortit sur la coursive. Il vit Hannah jongler fébrilement avec ses clés avant de disparaître dans son appartement.

Il courut jusqu'au rez-de-chaussée. Il se demandait si son histoire avec Hannah Clarke était terminée. Deux jours plus tôt, il en aurait été malade, mais le baiser de Kerry avait tout changé.

11 H 21

Contrairement à ce qui avait été prévu dans le plan initial, Chloé s'était révélée bien trop menue pour porter l'un des uniformes de Millie. Après un bref instant de panique, John décida de fabriquer une carte de réquisition. Il disposait d'un vaste choix d'insignes et d'étuis en cuir qui lui permettait de produire rapidement de fausses pièces d'identification et de changer n'importe quel agent en technicien de la compagnie des eaux ou en capitaine de l'armée britannique.

Lauren prit un cliché de Chloé avec son appareil photo numérique. Kerry lança un logiciel graphique et inscrivit un nom et un numéro de matricule sur un modèle vierge de carte de police. John l'imprima, la découpa, la plastifia puis la glissa dans un étui, à côté d'un insigne métallique de la Police métropolitaine. Chloé revêtit une robe bleue toute simple et des chaussures à talons plats.

Dave, qui n'avait pas pu être tenu informé des derniers développements de l'opération, fut stupéfait de voir Chloé pénétrer dans la concession à bord de la Mitsubishi jaune qu'il avait empruntée la veille pour reconduire Kerry à l'hôtel. Léon jaillit du bureau et lança à la jeune femme le sourire forcé qu'il réservait à la clientèle.

— Bonjour, madame, dit-il, tandis que Chloé descendait de la voiture. Qu'est-ce que je peux faire pour vous ?

Elle posa son sac à main sur le toit de la voiture et en retourna le contenu pour dénicher sa carte de police. Elle se sentait un peu idiote. Son attitude n'était pas celle d'un véritable flic.

— Sergent Megan Handler, dit-elle enfin en exhibant l'insigne de métal. Services du contrôle automobile de Bow Road.

Le visage de Tarasov se décomposa.

— Qu'est-ce qui vous amène, sergent ?

— Nous avons reçu des informations concernant votre société. Il semblerait que certaines de vos voitures ne soient pas tout à fait en règle.

— Ah bon ? s'étonna Léon. Je me demande vraiment qui a pu vous dire une chose pareille.

Dave, qui assistait à la scène, ne put réprimer un sourire. L'intervention de Chloé ne figurait pas au plan initial, mais c'était une stratégie brillante pour faire monter la pression entre Patel et Tarasov.

— Ça vous dérange si je jette un œil à votre stock ? demanda-t-elle.

— Vous avez un mandat ?

— Non, mais si vous me forcez à m'en procurer un, je reviendrai avec trois policiers en uniforme et ça prendra toute la journée. Je crois que ça ne serait pas très bon pour vos affaires.

Léon recula en ouvrant grand les bras.

— Allez-y, ma belle. Mais laissez-moi vous dire que vous perdez votre temps. Toutes mes voitures sont parfaitement conformes.

— Merci de votre coopération, monsieur Tarasov.

Léon, un faux sourire figé sur le visage, regagna le bureau. Dès qu'il eut claqué la porte, il se laissa tomber dans son fauteuil.

— Je crois que Patel a complètement pété les plombs, dit-il à Pete. Cette pétasse est de la police. Elle a reçu un tuyau.

— Ça n'a aucun sens, cette histoire de BMW. Elle est arrivée directement du concessionnaire officiel. Elle n'avait même pas une rayure. Je ne comprends pas ce que Michael a en tête.

— Bienvenue au club, petit, lâcha Léon en haussant les épaules.

11 h 24

James marchait en direction de la mairie, les yeux rivés sur le caniveau. Il trouva ce qu'il cherchait près de la roue arrière d'une camionnette d'entreprise. Il fourra sa main dans les deux sacs plastique, jeta un œil à gauche et à droite pour s'assurer qu'il n'était pas observé, puis bloqua sa respiration.

Il s'accroupit. Une douzaine de mouches bleues prirent leur envol. Il ramassa le tas d'excréments canins puis, de sa main libre, retourna les sacs, emprisonnant la masse molle et fétide.

34. Jusqu'aux coudes

12 H 08

Chloé prit tout son temps pour inspecter les voitures de *Tarasov Prestige Motors*.

John, de retour à l'hôtel, chargea Lauren et Kerry de surveiller le poste de contrôle, puis passa dans la chambre pour retirer sa combinaison de mécanicien.

Aussitôt, un message d'alerte s'afficha à l'écran :

Mobile 3 - Appel entrant

— Qu'est-ce que je fais ? s'écria Lauren, prise de panique. J'appelle John ?

— Laisse-le se changer, dit Kerry avec le plus grand calme. Vérifie juste les protocoles de communication.

Lauren effectua un clic droit sur la fenêtre, faisant apparaître une longue liste de paramètres.

— C'est bon, confirma Kerry. La conversation sera enregistrée sur le magnéto numéro cinq. Il n'y a plus qu'à noter l'heure dans le registre manuel.

— Ça a l'air tellement simple quand c'est Chloé qui s'en charge, murmura Lauren en saisissant un stylo d'une main tremblante.

12 H 09

Cinquante chaises étaient disposées dans la salle de conférences de la mairie de Palm Hill, mais seule une douzaine était occupée. Millie et Michael Patel étaient assis au premier rang.

Un homme âgé, membre du conseil municipal, prononçait un interminable discours concernant un projet d'amélioration du système d'éclairage urbain du quartier.

Michael sentit son téléphone portable vibrer dans la poche de son pantalon. Il consulta l'écran puis chuchota à l'oreille de Millie :

— Désolé, c'est Pat. Il faut que je réponde. Je reviens dans une minute.

Il se leva, franchit la double porte et s'isola dans le couloir.

— Salut, chérie.

— Alors, qu'est-ce qu'il a dit ?

— Il a essayé de m'enfumer. Il voulait m'envoyer un autre mécano.

— Il faut qu'on récupère le fric, Michael.

— Je sais. Je dois passer le voir après la réunion. Je lui ai dit que je voulais tout le pognon.

— Ne te laisse pas manipuler. On en sait assez sur ce salaud pour l'envoyer en taule pour des années.

— Je sais, mais lui aussi, il nous tient. Il faut y aller en douceur.

— Tu réalises que Charlotte aurait pu mourir dans cette saloperie de bagnole ? cria Patricia. Quand je pense qu'elle aurait pu se couper en deux... Je te jure, si ce salaud était devant moi, je l'étranglerais de mes mains.

— Pat, je suis d'accord avec toi, mais cette discussion ne nous mène nulle part.

— Bon, à quelle heure finit ta réunion ?

— Ça s'éternise. On n'est même pas à la moitié de l'ordre du jour.

— Tu peux pas trouver une excuse pour te barrer ?

Michael réfléchit quelques instants.

— Ouais, j'imagine que ça devrait être possible.

— Il faut que tu fonces chez Léon et que tu arranges tout ça le plus vite possible.

— Tu sais quoi, Pat ? T'as raison. De toute façon, ça m'obsède cette histoire. Je n'arrive pas à penser à autre chose. Je vais dire à Millie que Charlotte est malade et que je dois aller la chercher à la crèche.

12 h 13

Kerry déboula dans la chambre de John.

— Michael Patel se tire de la réunion. Il va foncer chez Léon.

— Merde ! s'étrangla John.

Il courut jusqu'à la pièce voisine sans prendre le temps de boutonner sa chemise ni d'enfiler des chaussures.

— Lauren, appelle ton frère sur la radio et dis-lui de passer à l'action. Kerry, contacte Dave sur son mobile. Je vais joindre Chloé pour lui dire de dégager immédiatement de la concession, puis je m'occuperai des agents de surveillance.

12 h 14

James se trouvait dans les toilettes des hommes de la mairie lorsqu'il reçut l'appel de Lauren l'informant que Michael était sur le point de quitter les lieux. Il se sécha les mains à la hâte puis s'engagea dans le couloir. Il croisa aussitôt Patel, qui ne le reconnut pas, et le suivit à distance. L'homme gagna le parking et marcha droit vers sa voiture de service.

Lorsqu'il saisit la poignée, il sentit ses doigts s'enfoncer dans une matière molle. Il retira la main d'un geste vif, puis resta saisi d'effroi, comme assommé, tandis qu'une épouvantable puanteur montait à ses narines.

Il frappa du poing le capot de la voiture et déversa un torrent d'injures. James, qui assistait à la scène depuis les marches de la mairie, savourait sa vengeance.

— Un problème, sergent ? lança-t-il.

— C'est *toi* qui as fait ça ? gronda Patel.

— Hein ? De quoi vous parlez ?

— Tu ne perds rien pour attendre. Je ne te règle pas ton compte maintenant parce que j'ai des choses plus urgentes à faire. Mais un jour, quand tu rentreras du collège, deux de mes gars te balanceront dans le coffre d'une bagnole, et je te garantis qu'on effacera ce sourire de ta sale petite gueule. Souviens-toi bien de ce que je te dis, James Holmes.

James eut toutes les peines du monde à ne pas éclater de rire.

— J'espère qu'il n'y aura pas de caméras de surveillance, cette fois-ci. Mon tuteur dit que vous serez foutu à la porte quand la cassette sera transmise aux autorités. Il paraît même que je vais ramasser quelques milliers de livres en dommages et intérêts.

— Tu te crois très *malin*, écuma Patel, les veines du cou saillantes et les yeux exorbités.

— Je sais pas si je suis malin, mais moi, au moins, je n'ai pas de la merde de chien jusqu'aux coudes.

12 H 33

Malgré les longues minutes passées à se frotter les mains dans les toilettes de la mairie, Michael avait l'impression que l'odeur pestilentielle lui collait à la peau. Il avait conduit à tombeau ouvert jusqu'à la concession. Lorsqu'il aperçut la Jaguar XJ8 de Léon sur le parking, son sang ne fit qu'un tour. Il la poussa à faible vitesse contre le mur des toilettes, pulvérisant l'un des phares avant. Léon surgit du bureau.

— Espèce de sale connard ! hurla-t-il. À quoi tu joues, nom de Dieu ?

Le policier descendit de la voiture.

— Tu as mon fric ? écuma Michael. Cash, chèque, je m'en fous, mais je le veux *maintenant*.

— Quel fric, bon sang ? Je t'ai vendu une voiture en parfait état et toi, tu essaies de m'arnaquer. Et qu'est-ce qui t'a pris de me dénoncer aux flics ?

— Je n'ai dénoncé personne.

— Tout à l'heure, une nana du contrôle automobile s'est pointée pour inspecter mon stock. Tu penses vraiment que je vais croire à une coïncidence ?

— J'y suis pour rien, Léon. Moi, tout ce que je veux, c'est que tu me files mes dix-sept mille livres et que tu disparaisses de ma vie.

Tarasov désigna le portail.

— Sors d'ici immédiatement, Patel. Tu crois que tu peux tout te permettre parce que tu es flic ? Je ne sais pas à quoi tu joues, mais sache que tu n'auras rien. Pas un sou.

— Ma famille aurait pu crever dans cette bagnole ! hurla Michael.

Sur ces mots, il frappa son interlocuteur à l'estomac, mais son poing s'enfonça mollement dans une épaisse couche de graisse. Léon le saisit par le revers de la veste, le plaqua contre la voiture de police et l'assomma d'un formidable coup à la face.

Il semblait anxieux. La concession était située dans une rue fréquentée et il craignait que des passants n'assistent à la scène. Il traîna sa victime jusqu'à la cabine. Pete s'étant absenté pour la pause déjeuner, il devait se résoudre à demander l'aide de Dave. Ce dernier contemplait la scène, muet et immobile, comme frappé de stupeur.

— Aide-moi à le porter en haut des marches ! cria Tarasov.

— Léon, ça va trop loin, là... s'étrangla le garçon.

— Fais ce que je te dis. Ne reste pas planté là.

Dave saisit Michael par les chevilles et aida Léon à l'installer dans une chaise pivotante.

— Fous-moi le camp, fiston.

— Vous n'allez quand même pas le buter ?

— Je ne suis pas un meurtrier, *moi*. On va juste avoir une petite discussion. Va déjeuner et ferme le portail à clé. Je ne veux pas que des clients traînent dans le coin.

Soudain, Michael ouvrit les yeux et se précipita sur Léon. Ce dernier le fit rasseoir avec autorité. Dave quitta la cabine.

— Ce foutu tempérament est en train de faire de ta vie un naufrage, dit Léon.

Il sortit un mouchoir de son pantalon et le laissa tomber sur le bureau. Patel s'en saisit et épongea son nez sanglant.

— Dix-sept mille livres, lâcha-t-il.

Léon ne put réprimer un sourire.

— Tu te souviens de la guerre froide, Michael ? *La destruction mutuelle assurée ?*

Patel, l'air un peu perdu, cracha un filet de sang dans le mouchoir.

— Les Russes et les Américains avaient tellement de missiles nucléaires pointés les uns sur les autres qu'ils n'osaient pas les utiliser. Si les Yankees bombardaient les Russes, les Russes bombardaient les Yankees. Eh ben tu vois, toi et moi, c'est pareil. On en sait trop long l'un sur l'autre. Si on commence à remuer toutes ces histoires et à mettre les flics entre nous, on finira tous les deux en cabane. Alors, quelle que soit la combine que tu es en train d'essayer de monter, il va falloir que tu laisses tomber l'affaire.

— Charlotte aurait pu crever ! hurla Michael. Elle n'a que trois ans.

— Eh, tu ne vas pas recommencer avec ces conneries ? Je ne comprends pas pourquoi tu t'acharnes à me servir cette histoire de bagnole. Mais quelle que soit l'embrouille que tu as en tête, il va falloir apprendre à te contrôler. La dernière fois que tu as pété les plombs, tu as fini par balancer Will Clarke du toit. Je ne comprends pas comment tu peux essayer de me rouler après tout ce que j'ai fait pour toi. Tu serais en taule pour le restant de tes jours si je n'avais pas arrosé Falco pour qu'il bricole les témoignages.

— Falco n'était pas ta propriété personnelle. Ce vieux con a touché plus de pots-de-vin que de salaires, dans sa vie.

— Il n'aurait pas bougé le petit doigt pour toi. Il ne pouvait pas t'encadrer.

— Ce qui est arrivé à Will Clarke n'a rien à voir avec la bagnole. Tu m'as escroqué.

Léon brandit le poing devant le visage de Michael.

— Tu dis encore un mot à propos de la voiture, et je te jure que je te pète les dents. Cette BM était nickel, et maintenant, elle est hors garantie. Alors, tu vas me faire le plaisir de te casser, de monter dans ta putain de caisse de flic et de ne jamais remettre les pieds ici. Et s'il te vient à nouveau l'idée de m'envoyer tes collègues, sache que je ne te ferai pas de cadeau, et que tu as plus à perdre que moi.

35. Falco

12 h 46

— Reviens en arrière, ordonna John. Je veux entendre ça encore une fois.

Lauren enfonça la touche *rewind* du magnétophone à bande. La voix de Tarasov jaillit du haut-parleur.

«*... il va falloir apprendre à te contrôler. La dernière fois que tu as pété les plombs, tu as fini par balancer. Will Clarke du toit. Je ne comprends pas comment tu peux essayer de me rouler après tout ce que j'ai fait pour toi. Tu serais en taule pour le restant de tes jours si je n'avais pas arrosé Falco pour qu'il bricole les témoignages.*

— Falco n'était pas ta propriété personnelle. Ce vieux con a touché plus de pots-de-vin que de salaires, dans sa vie.

— Il n'aurait pas bougé le petit doigt pour toi. Il ne pouvait pas t'encadrer.

— Ce qui est arrivé à Will Clarke n'a rien à voir avec la bagnole. Tu m'as escroqué. »

Lauren appuya sur le bouton *stop*.

— Michael n'avoue pas qu'il a tué Will. Il s'est tout de suite remis à parler de la bagnole.

— Quand tu auras travaillé dans le renseignement aussi longtemps que moi, dit John, tu sauras que les choses ne sont jamais aussi simples. L'accusation de Léon reste un élément de preuve important, et Michael n'a rien fait pour le contredire.

— Le nom de Falco me dit quelque chose, fit observer Kerry. Je suis sûre que je l'ai lu sur un document, quelque part.

— Si tu penses que tu peux te souvenir de quelque chose, n'hésite pas à remettre le nez dans le dossier.

Il décrocha son téléphone et composa le numéro de Millie.

— Dis-moi, est-ce que le nom de Falco te dit quelque chose ?

— Alan Falco travaillait à la Criminelle de Palm Hill. C'était pas le meilleur enquêteur de l'univers, mais c'était un vieux type plutôt sympa. Il a pris sa retraite peu de temps avant Noël.

Kerry posa devant John une chemise cartonnée. Ce dernier écarta le combiné de sa bouche.

— Quoi ?

— Tout est là-dedans, dit-elle. Alan Falco est le deuxième flic arrivé sur les lieux du crime. Il a interrogé une fille nommée Jane Cunningham ainsi que deux personnes qui se trouvaient dans l'immeuble.

— Léon a dit qu'il avait payé Falco pour bricoler les témoignages, dit Lauren.

— Il les a sans doute modifiés ou fait disparaître, expliqua John.

Il rapprocha le téléphone de son visage.

— Merci, Millie, il faut que je te laisse. Je crois qu'on a trouvé quelque chose de sérieux. Je te tiens au courant.

— Regarde ! s'exclama Kerry. Dans sa déclaration, Jane dit que des garçons avaient volé la sandale d'Hannah Clarke et qu'ils jouaient à se la lancer.

— Et alors ? demanda Lauren.

— Où est leur témoignage ?

Lauren se pencha sur l'épaule de sa coéquipière et lut le paragraphe suivant.

— Apparemment, ils se sont taillés quand le corps s'est écrasé sur le sol.

— Ouais, dit Kerry, mais c'était des gamins du quartier, et des témoins essentiels. Leurs déclarations ont disparu, mais j'imagine qu'on doit toujours pouvoir les interroger, non ?

John hocha la tête.

— Tu as raison. C'est un élément fondamental du dossier. Tâchons de découvrir qui ils sont et ce qu'ils ont vu.

14 H 21

— Madame Cunningham ? demanda Millie, en exhibant son insigne. Je suis à la recherche de votre petite-fille, Jane. Elle est ici ?

La vieille femme avait enclenché la chaîne de sécurité avant d'entrouvrir la porte. Elle était livide et ses mains tremblaient comme des feuilles.

— Elle est partie faire des courses, dit-elle dans un souffle. Je pense qu'elle ne va pas tarder. Vous voulez l'attendre à l'intérieur ?

— C'est très aimable à vous.

— Elle ne s'est pas attiré de problèmes, au moins ?

Millie secoua la tête et lui adressa un sourire rassurant.

— J'aimerais juste lui poser quelques questions à propos de l'accident du mois d'août dernier.

— Ah, le garçon sur le toit… soupira Mrs Cunningham.

Elle conduisit son invitée jusqu'au salon, puis s'assit dans un large fauteuil. Millie remarqua une bonbonne d'oxygène à ses côtés et une douzaine de tubes de pilules sur la table.

— Vous pouvez vous préparer une tasse de thé, sergent. J'ai bien peur de ne pas être en état. Il fait une telle chaleur.

— Votre petite-fille s'occupe de vous toute seule ?

La vieille femme sourit.

— Oui, et je ne sais pas ce que je deviendrais sans elle.

Jane regagna la maison quelques minutes plus tard, chargée de trois sacs *Sainsbury's*. Millie l'interrogea dans la cuisine tandis qu'elle rangeait ses courses.

— Dans la déclaration que tu as faite il y a un an, tu as affirmé qu'un groupe de garçons était présent sur les lieux de l'accident. Combien étaient-ils ?

— Sept ou huit, je crois.

— Tu as dit qu'ils avaient disparu, mais est-ce que tu sais s'ils ont été interrogés plus tard ?

— Oui, je me souviens. L'un d'eux, le petit maigre, il s'est blessé en s'enfuyant. Il avait le nez en sang. Les autres sont restés autour de lui pendant un moment. Ensuite, ils ont témoigné devant un flic, j'en suis sûre.

— Michael Patel ?

Jane secoua la tête.

— Non, Patel est resté avec mon amie Hannah. Will était son cousin, alors elle était dans tous ses états. Pourquoi vous ressortez ce dossier au bout d'un an ?

Millie, qui savait à quelle vitesse les rumeurs pouvaient se propager, décida de ne pas informer la jeune fille des derniers développements de l'affaire.

— C'est une vérification de routine. Je tiens à ce que les dossiers soient complets avant d'être envoyés aux archives. Je n'arrivais pas à comprendre pourquoi ces garçons n'avaient pas été interrogés. D'après ce que tu me dis, leurs déclarations ont été perdues, voilà tout. Connaîtrais-tu leur nom, par hasard ?

— Ce sont des gamins qui traînent dans la cité, mais je ne les connais pas vraiment.

— Tu sais où ils vivent ?

— Oh, maintenant que vous me le dites, je crois bien que Kevin Milligan était parmi eux. Il vit au-dessus de notre ancien appartement, au bâtiment six. Il se moquait tout le temps de ma grand-mère et il lançait des bombes à eau sur notre balcon.

14 H 50

— Oh, mon Dieu ! s'exclama la mère de Kevin Milligan en ouvrant la porte. Qu'est-ce qu'il a encore fait, cette fois ? KEVIN, viens ici !

— Ne vous inquiétez pas, la rassura Millie. Il n'a rien fait de mal.

Un garçon d'une dizaine d'années, vêtu d'un maillot de l'équipe de rugby d'Angleterre, fit son apparition. Son visage exprimait un profond sentiment d'inquiétude.

— Bonjour, Kevin, sourit Millie en s'avançant dans l'entrée. Est-ce que je peux te poser quelques questions à propos de ce qui s'est passé l'année dernière ? Tu sais, quand tu as vu Will Clarke tomber du toit ? Ça ne te dérange pas d'en parler ?

— Non, lâcha Kevin, qui détestait l'idée qu'on puisse s'imaginer qu'il avait été traumatisé par l'accident.

Un autre garçon passa la tête dans l'encadrement d'une porte.

— Ça, c'est Adrian, son meilleur copain, expliqua Mrs Milligan. Un futur criminel, comme mon fils. Il était sur les lieux, lui aussi.

— C'est parfait, dit Millie. Je vais vous questionner tous les deux. Ça ne devrait pas prendre très longtemps.

Kevin la conduisit jusqu'à sa chambre. Les deux garçons avaient installé un gigantesque circuit électrique. Des emballages de chips et de barres chocolatées jonchaient la moquette. Elle s'assit au bord du lit. Mrs Milligan se tenait debout près de la porte.

— Apparemment, nous avons perdu vos déclarations. Je voulais savoir si vous vous souveniez de quelque chose.

— On a juste vu le type s'écraser en bas, expliqua Kevin. Je suis parti en courant, et puis ce flic m'est rentré dedans de toutes ses forces.

— Qui était-ce ?

— L'Indien.

— Le sergent Patel ?

Kevin hocha la tête.

— Ouais, il débouchait de l'escalier.

Millie réalisa qu'elle venait de dénicher une information capitale. Michael avait toujours affirmé qu'il se trouvait à bord de sa voiture de patrouille au moment où il avait entendu le cri d'Hannah.

— Et toi, Adrian ? Qu'est-ce que tu as vu ?

— J'ai vu le garçon tomber. Ensuite, j'ai regardé en l'air et j'ai vu quelqu'un sur le toit.

— Vraiment ?

Mrs Milligan était stupéfaite.

— Tu es sûr qu'il y avait quelqu'un là-haut ? Tous les journaux ont dit que le garçon était seul au moment de l'accident.

— Ben, je suis pas absolument certain, parce que ça a duré même pas une seconde, mais je crois bien qu'il y avait un type.

— Et tu es le seul à penser ça ?

Adrian secoua la tête.

— Non, mademoiselle. Robert aussi dit qu'il l'a vu.

15 H 18

James, impatient d'assister au dénouement de la mission, demanda l'autorisation de regagner l'hôtel. John lui ordonna de rester à Palm Hill, prêt à intervenir si un événement inattendu se produisait.

Il s'allongea sur son lit et se contenta d'écouter les messages radio que s'adressaient les membres de l'équipe. À deux reprises, il contacta Lauren par téléphone pour obtenir des précisions sur le déroulement des opérations. Elle lui parla d'Alan Falco, qui avait fait disparaître les comptes rendus d'interrogatoire des garçons, et l'informa que John et Ray McLad étaient en route pour son domicile.

James se sentait frustré de voir les événements se précipiter sans pouvoir y participer. Il réalisait qu'il allait prochainement regagner le campus et se demandait quel sort Kyle et sa bande lui réserveraient.

Puis il pensa à Hannah. Il lui adressa un SMS pour lui dire à quel point il était désolé de la façon dont il s'était comporté. Il n'obtint aucune réponse.

Après avoir pris sa retraite, Alan Falco et sa femme avaient déménagé au bord de la mer, au sud de l'Essex. John et Ray mirent quarante minutes à rejoindre la côte depuis l'est de Londres.

— Belle baraque, dit John tandis qu'ils gravissaient la volée de marches menant à la porte d'entrée.

Ray désigna l'autocollant qui ornait la vitre arrière de la voiture de Falco : *TARASOV PRESTIGE MOTORS.*

John appuya sur la sonnette puis, n'obtenant aucune réponse, ils contournèrent la villa. Un voisin passa la tête par-dessus la palissade et lança :

— Le vieux est un peu sourdingue. Il est au jardin d'hiver.

— Merci, lancèrent les deux agents.

Ils poussèrent un portail de bois, pénétrèrent dans un jardin parfaitement entretenu, et se dirigèrent vers une vaste serre regorgeant de fleurs multicolores.

— Monsieur Falco ? demanda Ray.

L'homme n'avait pas encore soixante ans, mais il semblait prématurément usé. Il portait une barbe grise et une chemise au col largement ouvert.

— Jolies cultures, dit John. Ça doit exiger pas mal de boulot.

Falco lui adressa un large sourire.

— J'ai pas mal de temps libre, monsieur… ?

John laissa Ray exhiber son insigne.

— Inspecteur McLad, Affaires internes. Et voici mon collègue, monsieur Jones.

— Affaires internes ? répéta Falco. Je vais me faire gronder ?

— Les comptes rendus d'interrogatoires de l'affaire Will Clarke, dit McLad, bien décidé à aller droit au but. Ça vous dit quelque chose ?

— Et Léon Tarasov ? ajouta John. C'est un homme très généreux, à ce qu'il paraît.

Falco se raidit. John sortit un dictaphone de sa poche et appuya sur le bouton *play*.

« *Je ne comprends pas comment tu peux essayer de me rouler après tout ce que j'ai fait pour toi. Tu serais en taule pour le restant de tes jours si je n'avais pas arrosé Falco pour qu'il bricole les témoignages.* »

Falco ne savait plus où se mettre. Un sourire féroce illumina le visage de Ray. Il avait le sentiment exaltant d'être un prédateur tenant sa victime à la gorge.

— Monsieur Falco, nous avons rassemblé des éléments qui prouvent que Michael Patel a assassiné Will Clarke. Nous ne doutons pas d'obtenir une condamnation, mais si vous acceptez de témoigner devant le tribunal et d'informer le jury que vous avez touché de l'argent de la part de Léon Tarasov pour couvrir le responsable de ce meurtre, notre dossier sera sans faille.

Falco réalisa que l'agent venait de lui offrir une chance de ne pas finir ses jours en prison. Craignant d'être enregistré, il pesa soigneusement ses mots :

— En admettant que je puisse vous venir en aide, je vous demanderais de m'accorder l'immunité *totale* pour les faits dont vous me parlez, mais aussi pour tous les cas de corruption concernant le poste de Palm Hill qui pourraient être mis au jour par une enquête approfondie des Affaires internes.

16 H 18

Millie Kentner et Greg Jackson roulaient en direction du poste de police de Palm Hill. Ils estimaient avoir rassemblé tous les éléments nécessaires à la condamnation de Patel :

(1) Le témoignage des deux garçons qui affirmaient avoir vu un homme sur le toit.

(2) Le témoignage du garçon qui avait été percuté par Michael Patel en bas de l'escalier.

(3) Le témoignage démontrant la manipulation suspecte du corps de Will.

(4) L'enregistrement des conversations entre Michael et Léon, où le meurtre était clairement évoqué.

(5) L'engagement d'Alan Falco à témoigner que Léon Tarasov l'avait payé pour détruire les déclarations des témoins.

Ils pénétrèrent dans le bâtiment et trouvèrent Patel près de la photocopieuse.

— Michael, lança Millie sur un ton amical. Tu peux venir dans mon bureau deux minutes ? Greg Jackson, des Affaires internes, voudrait te parler.

— C'est vraiment ma journée, gronda-t-il en se dirigeant vers le bureau vitré.

— Qu'est-ce qui est arrivé à ton nez ?

— Je me suis pris une porte.

Millie s'installa dans son fauteuil. Greg sortit une paire de menottes de sa ceinture et déclara :

— Michael Patel, vous êtes en état d'arrestation pour le meurtre de Will Clarke. Vous avez le droit de garder le silence, et tout ce que vous direz pourra être retenu contre vous devant le tribunal...

Millie vit avec plaisir une expression de terreur pure déformer le visage de son collègue. Elle consulta sa montre. Au même moment, à la concession de Palm Hill, deux policiers en uniforme procédaient à l'arrestation de Léon Tarasov.

36. Un bon souvenir

20 h 30

John et James étaient en train de charger les affaires et les meubles dans le van de surveillance gris lorsque Liza Tarasov surgit sur la coursive.

— Qu'est-ce qui se passe, James ?

— Les flics ont arrêté Dave à la concession, en même temps que Pete et Léon. Je vais être placé en foyer.

— C'est définitif ?

— Ouais, je crois. Mon éducateur a piqué sa crise. J'étais autorisé à vivre avec mon frère à condition qu'on ne fasse pas de vague. En moins d'un mois, on a été arrêtés tous les deux. Dave était en liberté conditionnelle. Il n'est pas près de sortir de taule, et je suis trop jeune pour vivre tout seul.

— C'est trop con. C'était sympa de vous avoir comme voisins. Ça mettait un peu d'ambiance.

— Je me suis disputé avec Hannah, ce matin. Je lui ai envoyé un SMS, mais elle m'a pas répondu.

Liza pencha la tête.

— Elle m'a téléphoné. Elle m'a raconté toute l'histoire. T'as été un peu froid avec elle. Tu sais, elle en a bavé l'année dernière.

— Ça ira mieux quand j'aurai disparu de sa vie.

— Je crois qu'elle est toujours dingue de toi.

— Ouais, mais je pourrai pas la revoir. Je vais passer quelques semaines en foyer, puis ils m'enverront dans une famille d'accueil, quelque part en Angleterre. Alors autant que ça reste un bon souvenir.

John sortit de l'appartement. Il portait un énorme sac de sport contenant les vêtements de Dave.

— File-moi un coup de main, lança-t-il.

James sentit sa gorge se serrer.

— Il faut que j'y aille. Dis à Hannah que je ne l'oublierai jamais, OK ?

— Tu peux compter sur moi.

— Max est à l'appartement ? Tu crois que je peux passer lui dire au revoir ?

— Je ne te le conseille pas. C'est un vrai asile de fous, là-dedans. Max n'arrête pas de pleurer. Et tante Sacha et Sonya se disputent sans arrêt.

James esquissa un sourire.

— Je suis désolé pour ce qui est arrivé à ton oncle.

— T'inquiète. C'est un dur et un malin. Je te parie qu'il sera de retour dans quelques heures.

— J'espère, mentit James. Bon, faut que j'y aille, sinon je vais me faire engueuler.

— OK, à plus.

JEUDI, 00 H 02

James roulait sur la M11 à bord du van lorsque son téléphone sonna.

Appel entrant - Hannah.

Il fixa l'écran. Il l'imaginait étendue sur son lit, à la lumière de sa lampe années soixante-dix, avec ses ongles de doigts de pied orange. Il se demanda comment elle se sentait et ce qu'elle avait à lui dire, mais il ne décrocha pas. Quand la sonnerie s'interrompit, il ôta la batterie, retira la carte SIM et la cassa en deux entre le pouce et l'index.

— Encore un numéro de téléphone dont je n'aurai plus besoin, dit-il à John.

256

Le contrôleur de mission hocha la tête, sans quitter la route du regard. Ses yeux étaient gonflés par le manque de sommeil.

James tira de la poche arrière de son jean un portefeuille en nylon, en sortit la carte SIM qu'il utilisait sur le campus et la glissa dans son portable. Il l'alluma, regarda défiler le message d'accueil – que Lauren avait remplacé par *Je suis un gros nul* quelques mois plus tôt –, puis enfonça la touche RÉPERTOIRE. *Bruce, Callum, Connor, Gabrielle, Kerry, Kyle, Lauren, Mo, Shak.*

En état de choc, il réalisa qu'à l'exception de Lauren, plus aucun de ses amis ne lui adressait la parole. Il sélectionna le numéro de Kerry et envisagea de lui adresser un SMS. Ils s'étaient embrassés deux nuits plus tôt. Il devait tenter sa chance.

Il écrivit le mot DESOLE, l'effaça, composa J M EXCUZ et jugea cette phrase trop pompeuse. Il voulait juste lui dire à quel point elle était différente des autres. Qu'elle n'était sans doute pas la fille la plus canon de l'univers, mais qu'il ne pensait qu'à elle.

Puis il parvint enfin à formuler ce qu'il voulait lui faire comprendre.

KERRY, JE T'M

Il resta une minute le pouce suspendu au-dessus du bouton ENVOYER avant de trouver le courage de l'enfoncer.

00 H 18

Le téléphone de James émit un signal sonore. Une enveloppe venait d'apparaître à l'écran : *1 SMS de Kerry*

IL FO KON PARL :-)
ON SE VOI O PTI DEJ

Épilogue

RAY McLAD et **GREG JACKSON**, des Affaires internes, poursuivirent l'opération initiée par CHERUB.

Après six mois d'enquête, ils présentèrent des preuves mettant au jour les activités de corruption menées par quinze officiers du poste de police de Palm Hill au cours des vingt dernières années.

Cinq d'entre eux furent contraints de démissionner. Neuf furent arrêtés et inculpés de crimes ayant trait à la corruption : pots-de-vin, manipulation de preuves, entreprises de racket menées en association avec Léon Tarasov.

L'un des policiers bénéficia d'un non-lieu. Les autres furent jugés et condamnés à des peines allant de deux à neuf ans de détention.

ALAN FALCO, dont le témoignage permit la condamnation de ses anciens collègues, ne fut pas poursuivi. Victime de nombreuses menaces anonymes, il quitta sa maison de Southend le jour où il trouva sa voiture incendiée et le mot *balance* peint sur la façade de sa maison.

Dès la fin de l'opération, **MILLIE KENTNER** s'offrit deux mois de congé. Après avoir considéré toutes les options qui s'offraient à elle − y compris un poste de responsable d'éducation à CHERUB −, elle décida de poursuivre sa carrière au sein de la Police métropolitaine. Elle se porta candidate au Bureau des Affaires internes. Elle dirige aujourd'hui une unité d'infiltration chargée de lutter contre la corruption policière.

LÉON TARASOV et **MICHAEL PATEL** durent répondre aux accusations concernant le braquage du *Golden Sun Casino* et le meurtre de **WILL CLARKE**.

Peu avant le début de son procès, confronté à des preuves accablantes, Léon Tarasov choisit de plaider coupable. Il fut condamné à douze ans de réclusion criminelle pour cambriolage et conspiration visant à soustraire l'auteur d'un meurtre à l'action de la justice.

En revanche, Michael Patel ne cessa de clamer son innocence. Après trois semaines de procès, le jury du tribunal d'Old Bailey le déclara coupable de tous les chefs d'inculpation. Dans ses conclusions, le juge décrivit le meurtre de Will comme « *l'acte le plus répugnant jamais commis par un officier de police dans l'exercice de ses fonctions* ». Il recommanda une peine incompressible de dix-huit ans de détention.

Les enregistrements audio réalisés par John et Chloé furent produits au cours du procès et présentés comme des preuves recueillies par Millie Kentner et l'équipe du Bureau des Affaires internes. Le rôle joué par CHERUB au cours de l'opération ne fut jamais révélé.

Léon et Michael ne tardèrent pas à soupçonner qu'ils avaient été victimes d'une manipulation, mais ils furent incapables de prouver quoi que ce soit.

Aucune preuve formelle ne put démontrer la participation de **PATRICIA PATEL** au braquage du *Golden Sun Casino*. Elle fut jugée pour le blanchiment de £ 220 000 en liquide représentant la part du butin reçue par son mari. Compte tenu du jeune âge de sa fille et de son absence d'antécédents judiciaires, elle fut condamnée à une peine de deux ans de prison avec sursis.

Au cours de l'interrogatoire qui suivit son arrestation, sa BMW retrouva miraculeusement son état de fonctionnement initial.

PIOTR TARASOV (PETE) fut brièvement interrogé au sujet du cambriolage. Il décida de ne pas s'inscrire à l'université. Il gère désormais les affaires de la famille Tarasov aux côtés de sa tante Sacha.

Le troisième suspect, **ÉRIC CRISP**, n'a jamais été retrouvé. La police a émis un mandat d'arrêt et se déclare optimiste quant à son éventuelle arrestation.

Les micros placés dans le bureau et la voiture de **GEORGE STEIN** par James Adams et Shakeel Dajani ont permis de recueillir quelques informations sur l'organisation terroriste *Sauvez la Terre !* Une avancée modeste pour une enquête impliquant des dizaines d'agences de renseignements à l'échelon international.

Le retour de **JAMES ADAMS** au campus marqua le début d'un relatif dégel de ses relations avec ses amis. Kyle et Bruce – dont le comportement disciplinaire est loin d'être irréprochable – furent les premiers à briser la glace. Les autres recommencèrent à lui adresser la parole quelques semaines plus tard.

KERRY CHANG est de nouveau en bons termes avec James, mais elle ne juge pas opportun de renouer des liens plus intimes. Du moins, pas pour le moment…

CHERUB, agence de renseignements fondée en 1946

1941

Au cours de la Seconde Guerre mondiale, Charles Henderson, un agent britannique infiltré en France, informe son quartier général que la Résistance française fait appel à des enfants pour franchir les *check points* allemands et collecter des renseignements auprès des forces d'occupation.

1942

Henderson forme un détachement d'enfants chargés de mission d'infiltration. Le groupe est placé sous le commandement des services de renseignements britanniques. Les *boys* d'Henderson ont entre treize et quatorze ans. Ce sont pour la plupart des Français exilés en Angleterre. Après une courte période d'entraînement, ils sont parachutés en zone occupée. Les informations collectées au cours de cette mission contribueront à la réussite du débarquement allié, le 6 juin 1944.

1946

Le réseau Henderson est dissous à la fin de la guerre. La plupart de ses agents regagnent la France. Leur existence n'a jamais été reconnue officiellement.

Charles Henderson est convaincu de l'efficacité des agents mineurs en temps de paix. En mai 1946, il reçoit du gouvernement britannique la permission de créer CHERUB, et prend ses quartiers dans l'école d'un village abandonné. Les vingt premières recrues, tous des garçons, s'installent dans des baraques de bois bâties dans l'ancienne cour de récréation.

Charles Henderson meurt quelques mois plus tard.

1951

Au cours des cinq premières années de son existence, CHERUB doit se contenter de ressources limitées. Suite au démantèlement d'un réseau d'espions soviétiques qui s'intéressait de très près au programme nucléaire militaire britannique, le gouvernement attribue à l'organisation les fonds nécessaires au développement de ses infrastructures.

Des bâtiments en dur sont construits et les effectifs sont portés de vingt à soixante.

1954

Deux agents de CHERUB, Jason Lennox et Johan Urminski, perdent la vie au cours d'une mission d'infiltration en Allemagne de l'Est. Le gouvernement envisage de dissoudre l'agence, mais renonce finalement à se séparer des soixante-dix agents qui remplissent alors des missions d'une importance capitale aux quatre coins de la planète.

La commission d'enquête chargée de faire toute la lumière sur la mort des deux garçons impose l'établissement de trois nouvelles règles :

1. La création d'un comité d'éthique composé de trois membres chargés d'approuver les ordres de mission.

2. L'établissement d'un âge minimum fixé à dix ans et quatre mois pour participer aux opérations de terrain. Jason Lennox n'avait que neuf ans.

3. L'institution d'un programme d'entraînement initial de cent jours.

1956

Malgré de fortes réticences des autorités, CHERUB admet cinq filles dans ses rangs à titre d'expérimentation. Au vu de leurs excellents résultats, leur nombre est fixé à vingt dès l'année suivante. Dix ans plus tard, la parité est instituée.

1957

CHERUB adopte le port des T-shirts de couleur distinguant le niveau de qualification de ses agents.

1960

En récompense de plusieurs succès éclatants, CHERUB reçoit l'autorisation de porter ses effectifs à cent trente agents. Le gouvernement fait l'acquisition des champs environnants et pose une clôture sécurisée. Le domaine s'étend alors à un tiers du campus actuel.

1967

Katherine Field est le troisième agent de CHERUB à perdre la vie sur le théâtre des opérations. Mordue par un serpent lors d'une mission en Inde, elle est rapidement secourue, mais le venin ayant été incorrectement identifié, elle se voit administrer un antidote inefficace.

1973

Au fil des ans, le campus de CHERUB est devenu un empilement chaotique de petits bâtiments. La première pierre d'un immeuble de huit étages est posée.

1977

Max Weaver, l'un des premiers agents de CHERUB, magnat de la construction d'immeubles de bureaux à Londres et à New York, meurt à l'âge de quarante et un ans, sans laisser d'héritier. Il lègue l'intégralité de sa fortune à l'organisation, en exigeant qu'elle soit employée pour le bien-être des agents.

Le fonds Max Weaver a permis de financer la construction de nombreux bâtiments, dont le stade d'athlétisme couvert et la bibliothèque. Il s'élève aujourd'hui à plus d'un milliard de livres.

1982

Thomas Webb est tué par une mine antipersonnel au cours de la guerre des Malouines. Il est le quatrième agent de CHERUB à mourir en mission. C'était l'un des neuf agents impliqués dans ce conflit.

1986

Le gouvernement donne à CHERUB la permission de porter ses effectifs à quatre cents. En réalité, ils n'atteindront jamais ce chiffre. L'agence recrute des agents intellectuellement brillants et physiquement robustes, dépourvus de tout lien familial. Les enfants remplissant les critères d'admission sont extrêmement rares.

1990

Le campus CHERUB étend sa superficie et renforce sa sécurité. Il figure désormais sur les cartes de l'Angleterre en tant que champ de tir militaire, qu'il est formellement interdit de survoler. Les routes environnantes sont détournées afin qu'une allée unique en permette l'accès. Les murs ne sont pas visibles depuis les artères les plus proches. Toute personne non accréditée découverte dans le périmètre du campus encourt la prison à vie, pour violation de secret d'État.

1996

À l'occasion de son cinquantième anniversaire, CHERUB inaugure un bassin de plongée et un stand de tir couvert.

Plus de neuf cents anciens agents venus des quatre coins du globe participent aux festivités. Parmi eux, un ancien Premier Ministre du gouvernement britannique et une star du rock ayant vendu plus de quatre-vingts millions d'albums.

À l'issue du feu d'artifice, les invités plantent leurs tentes dans le parc et passent la nuit sur le campus. Le lendemain matin, avant leur départ, ils se regroupent dans la chapelle pour célébrer la mémoire des quatre enfants qui ont perdu la vie pour CHERUB.

Table des chapitres

CHERUB
MISSION 1

Un terroriste n'invite jamais un inconnu
dans sa maison. Il craint d'avoir affaire à un policier
infiltré ou à un agent des services secrets.
Mais il ne se méfie pas des amis de ses enfants.

Ce qu'il ignore, c'est que l'un de ces amis
a dissimulé des micros dans chaque pièce,
placé sa ligne téléphonique sur écoute, effectué
des copies de son disque dur et scanné les pages
de son carnet d'adresses.

Cet enfant travaille pour **CHERUB**.

Les agents de **CHERUB** ont entre dix et dix-sept ans.
Leur mission : tromper la vigilance des adultes,
obtenir des informations sensibles et déjouer les
complots criminels qui nous menacent.

Pour raison d'État, ces agents n'existent pas.

CHERUB
MISSION 2

Depuis vingt ans, le plus puissant trafiquant
de drogue du Royaume-Uni mène ses activités
en toute impunité, au nez et à la barbe de la police
et de la justice.

Décidés à mettre un terme à ses crimes, les services
secrets doivent se résoudre à jouer leur dernière carte :
CHERUB, un département ultrasecret
composé d'agents âgés de dix à dix-sept ans.
Des professionnels rompus à toutes les techniques
d'infiltration et de renseignement mais des enfants
donc… des espions insoupçonnables !

À la veille de son treizième anniversaire,
l'agent James Adams reçoit l'ordre de pénétrer
au cœur du gang, de réunir des preuves et d'envoyer
le baron de la drogue derrière les barreaux.
Une opération à haut risque…

Pour raison d'État, ces agents n'existent pas.

CHERUB
MISSION 3

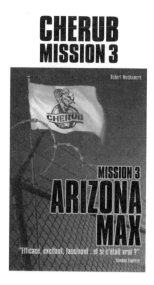

Au cœur du désert brûlant de l'Arizona,
280 jeunes criminels purgent leur peine dans
un pénitencier de haute sécurité.

Plongé dans cet univers impitoyable, James Adams,
13 ans, s'apprête à vivre les instants les plus périlleux
de sa carrière d'agent secret **CHERUB**.

Il a pour mission de se lier d'amitié avec l'un de ses
codétenus et de l'aider à s'évader d'Arizona Max.

Pour raison d'État, ces agents n'existent pas.

CHERUB
MISSION 5

Le milliardaire Joel Regan règne
en maître absolu sur la secte des Survivants.
Convaincus de l'imminence d'une guerre nucléaire,
ses fidèles se préparent à refonder l'humanité.
Mais derrière les prophéties fantaisistes du gourou
se cache une menace bien réelle…

L'agent James Adams, 14 ans, reçoit l'ordre d'infiltrer
le quartier général du culte. Saura-t-il résister aux
méthodes de manipulation mentale des adeptes ?

Pour raison d'État, ces agents n'existent pas.

www.cherubcampus.fr